ふるさと「いわき」再生のシナリオ

内《うち》田《だ》広《ひろ》之《ゆき》

新産業と人づくりが
街を変える

論創社

はじめに

人口減少は今や全国各地の自治体に共通する悩みとなりました。私が居を構える人口およそ34万人の福島県いわき市も、ご多分に漏れずこの問題とは無縁でいられません。克服すべき喫緊の政治課題として浮上してきました。

いわき市は、福島県の南東部に位置します。市の面積は広く、東京都23区のざっと2倍といったところです。太平洋に沿って北に延びる福島県浜通り地区では中心的役割を担い、国から中核都市の指定を受けています。

映画『フラガール』（2006年公開）の舞台だといえば、おわかりになる方も少なくないでしょう。かつては常磐炭鉱で栄えた街でした。

現在、私は市内にある東日本国際大学で、いわき市を核にした地域振興を研究しています。その立場から街の将来を左右しかねない人口減少に警鐘を鳴らし、再生に向けた処方箋を書きつづっていこうと思います。

私は1972年にいわき市で生まれました。大学への進学を機に故郷を離れ、その後、文部省（現・文部科学省）に入省し、文部科学行政を中心に仕事をしてきました。

一方でその間、ふるさといわきでは衰微が進み、徐々に街から活気が失われていったのですが、中央の役所にいた私にできることは限られていました。

浜通りで唯一のデパートとして、市民の誇りだった大黒屋が店を閉じたのはいつのことだったか。市南部にある植田町や常磐湯本町の商店街は、気がつけばシャッター通りに変わっていました。中山間部にある村落は、今では少子高齢化の加速により、コミュニティ崩壊の危機が迫っています。

そんないわきに追い打ちをかけたのが、２０１１年3月11日に勃発した東日本大震災でした。地震と津波で市内の建物７９０２棟が全倒壊し、いわきだけで４６７名という尊い命が失われました。

幸い復興は他の地域よりも比較的早く進んだのですが、震災に伴って発生した東京電力福島第一原子力発電所の事故で、農産物や水産物に風評被害が広がって大打撃を受け、10年経った現在も悪影響から脱し切れていません。

私は震災後、いわき市出身の国家公務員たちに声をかけ、省庁横断的な「霞が関からいわき市を応援する会」を結成して支援体制を組みました。しかし仕事のため、故郷に駆けつけることができず、歯がゆい思いで遠くから見守るしかなかったのです。

復興のために福島県で働きたいと何回も出した転勤願いがようやく受理され、２０１９年に福島大学に出向できました。そんな折、いわきは台風19号（令和元年東日本台風）の直撃を受けたのです。同年10月のことでした。

記録的な大雨で河川が氾濫し、いわき市では関連死を含め死者12人を記録しました。家屋の全半壊壊は多数で、町に深い爪痕を残したのです。

私は福島大学の学生ボランティア組織のメンバーらとともに、いわき市平・平窪地区の被災地に乗り込んだのですが、被害の甚大さを目の当たりにして、悲しさ、口惜しさ、無念さ、怒りが混然となった感情が心の中で渦巻き、ただただ立ち尽くしました。

そのときにふいに胸をよぎったのは、「帰りなんいざ、田園まさに荒れなんとす」という中国の文人、陶淵明の漢詩の一節でした。

人口減に加えて少子高齢化が進み、さらに災害により傷ついたふるさといわき。故郷に帰り、たとえ微力であっても何らかの貢献をしよう——。私は25年勤めた文科省を退官し、30余年ぶりの帰還を決意しました。

ささやかながらも、育ててくれたふるさとへの恩返しのつもりで、この本を書きました。あくまでいわき市を対象にした再生マニュアルですが、背景や事情は違っても、人口減少に頭を抱える他の地域にも共通するものがあるかと思います。ふるさとの将来を憂い、危機的状況から脱しようとする方々に、少しでもお役に立てたのなら望外の幸せです。

2021年7月吉日

東日本国際大学　地域振興戦略研究所長
元・文部科学省　教育改革推進室長　内田　広之

ふるさと「いわき」再生のシナリオ　目次

第二章　教育は国家百年の大計なり

第三章　住みやすい街づくりへの提言

第四章　いわき市の明日を考える

ふるさと「いわき」再生のシナリオ

序章　人口減に直面するいわき市

2060年には人口は半減し
高齢化率も50%を超えるとの予測

1　中山間地域の「消滅可能性」が上昇

いわき市は福島県内では最多の人口を擁し、東北地方全体では仙台市に次ぎます。自動車や化学、薬品、製紙メーカーなどの工場が市内にいくつもあり、工業製造品の出荷額は、東日本大震災までは東北第1位を誇っていました。

また、スパリゾート・ハワイアンズや湯本地区の温泉、水族館のアクアマリンふくしま、国際貿易港である小名浜港、和歌の歌枕で知られる勿来の関跡ほか観光資源にも恵まれ、観光交流人口でも仙台市に続き東北第2位の地位を占めています。

市は１９６６年に14の自治体が集まって誕生しました。そのせいもあって面積が極めて広く、都市部あり、山間地あり、港湾地区ありと多様性に富みます。反面、それが一つにまとまりにくい結束力の弱さを招いているともいえます。

人口減少という問題を抱えているいわき市ですが、地域によって濃淡があり、江戸時代には磐城平藩の城下町で市内随一の繁華街をもつ平地区や、工場が立ち並ぶ臨海工業地帯の小名浜港地区は比較的活況を呈しています。

ことに平地区のいわき駅周辺は駅ビルのリニューアル工事が始まり、駅南口一帯の再開発が進行中です。ここにホテルやレストランなどの商業施設が入る大型ビルが建てられ、いわき市の新しい顔に生まれ変わることになっています（開業は2022年春）。

さらに、駅の近くには背の高いマンションの建設が何棟も計画されていて、平地区は人口減少などどこ吹く風といった堅調ぶりです。

それに対して、都市部以外は地盤沈下が続き、急激な人口減少に見舞われています。都市部と周辺部のコントラストは、他の中堅都市にも共通する構図でしょう。

とはいえ、平や小名浜も安閑とはしていられません。道行く人も若者に代わって中高年の割合が増えてきました。いわき市の玄関口ともいえるいわき駅前の大通りも、若者の闊歩する姿が少なくなり、ぽつりぽつりですが、シャッターを閉じた空き店舗が目につくようになりました。

2021年2月、平にあった全国チェーンの大型ショッピングセンターが、春を待たずに49年の歴史に幕を引きました。

撤退は郊外に大型店がいくつもできたことが一因ですが、平の斜陽を象徴する出来事と受け止める市民も少なくないようです。

ところで、「消滅可能性都市」というリポートをご記憶でしょうか。2014年、民間の有識者からなる日本創成会議（座長：増田寛也元総務相）が発表したもので、大変ショッキングな内容ゆえに、当時、大々的にマスコミが取り上げました。

2010年から2040年までの30年間に、20歳から39歳までの若年女性の数が5割以下に減ると予測される市区町村は、出生率が加速度的に低下して、消滅の可能性が高くなるというものでした。

各市区町村の出生率や人口流出の実態をもとに試算したもので、８９６の自治体が消滅可能性都市として名前が公表されました。その数は全国市区町村の49・８％にも上り、驚くべき結果に衝撃が走ったのです。

ことに数多く名前が示されたのは東北地方で、県庁所在地の青森市、秋田市を筆頭に、弘前市や八戸市、宮古市、石巻市、気仙沼市、酒田市、鶴岡市などといった、地域の中核的都市の名前が列挙されました。

ちなみに、東京都では島嶼部や山間部の奥多摩地区に加え、副都心の池袋を抱える豊島区（人口約29万人）がリスト入りし、週刊誌には「豊島区消滅」などの見出しが躍り、テレビのワイドショーが取り上げるなど耳目を集めました。

豊島区ではこれ以後、区を挙げて事態の改善に努め、若年女性の減少に歯止めがかかったと伝えられます。

日本創成会議のこの報告は、あくまで若年女性の増減に限定して導き出されたデータであり、名前が出た自治体が必ずしも消滅するとは限りません。多分に人口減少に警鐘を鳴らすためのリポートだったともいえそうです。

なお、いわき市を含めた福島県は、福島第一原発の事故により人口の流動化が極めて激しいと判断され、全国で唯一、調査対象から外されました。

とはいえ、いわき市は実際どうだったのか――。大変気になりますよね。そこで私は日本創成会議と同じ算出基準を用いて、消滅可能性度をチェックしてみました。

その結果は次のようです。いわき市全体では若年女性の減少の割合は２０４０年段階で▲31・2％となり、50％に至らなかったことから、消滅可能性都市には該当しないという結論に至りました。

いわき市の女性は流出せずに市内に留まる傾向が比較的顕著で、それがこの減少率で済んだ要因だと考えられます。

ところが、いわき市の地域ごとに分析すると、田人地区、久之浜・大久地区、三和地区、川前地区、遠野地区、好間地区においては、若年女性が他地区へ多く流出している状況がはじき出されました（これらの地区では２０４０年段階で▲50％以上）。

いわき市全体を見れば消滅可能性都市には該当しませんが、これらの地区の人口減少に真剣に向き合っていかなければなりません。

名前を挙げた地区は、以前から市内のなかでも過疎化が進行していると指摘されてきたところで、今回、私の行った試算がそれを裏付けた格好です。もはや放置できる段階ではなく、早急な対策が求められています。

人口減少の大きな流れには抗しがたい面がありますが、その流れを少しでも食い止めるための方策を考えていかなければなりません。

たとえば農業、林業、水産業に興味のある若者を外部から呼び込んで、いわきの若者と一緒になって地域おこしを進めるなど、若者の活気で地域を盛り上げていくようなやり方も、今後は大切な取り組みになってくるでしょう。

2　市の人口は半分以下に縮小する

ここでいわき市が発表しているデータに基づき、人口減少の実態を見ていきましょう。市の人口ピークは、1998年の36万1934人でした。これ以降、減り続け、2021年2月1日現在は33万6376人となり、なんとこの23年間で約2万6000人も少なくなっていました。

この数字も、福島第一原発の事故による市外からの避難者の移住がなければ、減少幅はもうちょっと拡大していたはずです。原発避難による移住者は平、小名浜に集中していて、この二地区の人口を若干ですが押し上げました。

人口減少は三和、田人、川前といったいわき市の中山間部で目立ちます。ことに田人、川前地区は平成10年の半数近くに人口が減り、また高齢化率が50％前後を占めるに至って、地域共同体の持続可能性に赤信号が灯っています。

なお、いわき市民には「ウチは東北第2位の街だ」というプライドを持つ人が多いのですが、それもいよいよ怪しくなってきました。

市の人口減少率は、福島県内で都市の性格が比較的似ている郡山市、福島市に比べても際立って高く、東北地方第3位の郡山市との差は現在わずか6000人ほどですから、追い抜かれる日もそう遠くないでしょう。

それどころか、県内第3位で、東北地方全体で第6位の福島市の後塵を拝する日も、いつかはやってくるかもしれません。

とはいえ、人口減少に関して、いわき市民の多くはそれほど強い危機意識を持ってはいないように見受けられます。

特に平、小名浜の都市部の住民層にその傾向が強く、それ以外の地域との認識ギャップが生じています。市民一丸となって問題と向き合う必要性を、今後よりいっそう強く主張していくことが重要になってきました。

一方で人口減少について、人類が発するエネルギー消費量を抑えて地球環境の悪化を防ぐといった論法を用い、人間的に豊かな暮らしが待っているとエコロジー的に語り、まるでいいことのように主張する識者も一部にはいます。本当にそうなのでしょうか。

人口の縮小過程で生じる痛みは相当なもので、ふるさとがなくなる喪失感もこの論では素通りされています。あらゆる知恵を絞り、現状を打開しようと努力するべきで、人口減少はこうしたエコロジーの観点とは別次元の生々しい話だと強調しておきたいと思います。

実は、いわき市の本格的な人口減少はこれからが本番なのです。

市の総合政策部創生推進課では、対策を取らないと40年後の２０６０年、人口は15万３０００人になると試算しています。現在の水準の半分以下に落ち込むわけで、衝撃の数字といえます。

同時に、２０４５年には生産年齢人口と、65歳以上の高齢者が占める割合が逆転し、２０６０年には高齢化率が50％の大台に乗ると推計しました。

つまり、ここしばらくは漸減であっても、徐々に加速をつけて急激に減っていくということ。この人口規模では現行レベルの行政サービスは受けられなくなります。

高齢者の増加で、医療や福祉といった社会保障負担が増大して財政を圧迫します。さらに、生産年齢人口の割合が今より低下するので、税金の徴収額の大幅ダウンは必至です。

教育や公共交通、上下水道といった社会インフラは維持が難しくなり、それがまた人口の減少に拍車をかけます。まさに負のスパイラルといっても過言ではありません。

住民が減って高齢化率が5割を超え、共同体の維持が困難になった村落を「限界集落」と呼びますが、このまま座視すれば、いわき市全体が巨大な限界集落と化す――。誤解を招きかねない物言いですが、これは杞憂ではなく、想定されうる近未来の姿なのです。

3　人口減の要因は若者層の流出

厚生労働省の調査では、日本の人口は２００８年の1億２８０８万人を頂点にして減少に転じています。いわき市はこれより10年も早く減少が始まっていたことになります。

同省では２０６０年段階の日本の人口も推計しましたが、そこでは９０００万人とし、約３割の減少との見込みを発表しました。

減少の始まり時期のみならず、２０６０年における減少幅も、いわき市は国の数字を上まわっています。同省では２０６０年の国全体の高齢化率を約40％と導き出していて、この面でもいわき市のほうがはるかに高い数値を示しました。

いわき市の人口減少がそれだけ深刻だということではありますが、市も手をこまねいているのではなく、保育園の拡充ほか、出産・子育て支援に取り組んできました。でも、なかなかはかばかしい成果を残せてはいません。

というのも、少子化だけがいわき市の人口減少の要因ではないからです。背後にはいわき市ならではの減少理由が潜んでいました。

それは若者の流出です。いわき市では男性を中心に、18歳から20歳前半の若者が東京圏（一部は仙台市）に転出する傾向が如実で、その数は毎年４０００人（調査によっては５０００人）ほどに上ります。

進学や就職、転職が主要な理由で、いったんいわきを離れると戻ってはこず、結婚して出産に関わる年齢層ですから、流出は少子化を加速させることにもなります。

いわき市はこのタイプの流出者が極めて多いのです。都市として類似性が高い福島県内の福島、郡山と比べてもそれははっきりしていて、この二都市よりも人口減少が急速に進む原因になっています。

では、なぜ男性を中心に若者の流出が多いのでしょうか。

いわき市は東北を代表する工業都市ではありますが、高卒者の受け入れ先は十分過ぎるほど確保されているものの、大卒者、大学院修了者の就職先は意外に限られ、それがこの現象を招いているといえます。

ちなみに、自治体の活性化対策としてしばしば企業の誘致案が浮上しますが、税制を優遇してせっかくきてもらっても、うまくいかないケースが多々あります。それは若者層の望む雇用環境ではなく、採用側とのミスマッチが原因だとされます。

たとえ働き口を用意しても、必ずしも若者の定着には結びつかない。工業都市いわき市の例がそれを示しています。企業誘致は万能ではないのです。

また、いわきは東京から２００キロ圏内で、このほどほどの距離感が若者の転出理由だと指摘する方もいます。古くから関東圏との経済的な結びつきが緊密で、それが関東への転出の背を押しているきらいもあるでしょう。

地政学的な見地から、東北というより「北関東人」との自己認識を持つ市民もいて、若者は特にその傾向が強いようです。そもそも関東圏に親しみがあり、故郷を出ることにさほど抵抗感がないという説には、それなりに説得力があります。

いわき市が高校生に「将来的に本市での生活を希望しているか」というアンケートをしたことがありました。そのとき4割弱が希望しないと答えています。

人口減少を止めるには、出産・子育て支援だけでなく、大卒や大学院修了者を含めた若者たちのニーズにあった雇用を創出し、さらに「住み続けたい、もどってきたい」と思える魅力的な生活の場を提供していくことが不可欠になります。

それはなかなか一筋縄ではいきませんが、若者層の流出こそ、いわき市がすぐにも取り組まなければならない緊急課題だといえます。

加えてJターンや、移住者を含めたIターン希望者のリクエストにも応えられる街づくりなど、テーマは山積しています。次項から、私が考える再生のシナリオを述べていくことにしましょう。

第一章　先端産業で人材の還流を図る

いわきをハイテク先進地に変え
若者が戻ってこられる故郷にする

1　注目集まる再エネ工業団地計画

今、いわき市の経済を飛躍させるチャンスが二つ訪れています。「再生可能エネルギーに関する工業団地整備計画」と「国際教育研究拠点構想」です。

どちらも国が音頭を取って推し進め、世界トップ級のイノベーションによる新産業の形成を目指す、実に魅力的なプロジェクトだといえます。

二つの計画は、原発事故からの再生・復興を目的に立案されました。ここで生まれた最先端の成果を産業化して世界に発信できることから、単に災害でこうむったマイナスをゼロにするだけでなく、プラスに転じることが可能なインパクトを秘めています。

ぜひともいわき市にきてほしいプロジェクトではありますが、再生エネ工業団地整備計画は、福島県の浜通りに複数の施設を整備することが決まっていて、すでに浪江町に世界最大級の水素製造拠点「福島水素エネルギー研究フィールド」が開設されました。でも、それ以外の施設がどの市町村に設置されるかは、まだ正式決定されていません。

また、国際教育研究拠点に関しては、避難指示の出ていた地域を基本として設置場所を選定すると国は方針を示しています。

いわき市民にとっては、ともに市内に開設されるのがベストですが、国際教育研究拠点は「避難指示の出ていた地域を基本」としている以上、避難指示が発令されなかったいわきに誘致するための交渉はハードルが高く、かなり難しいといわざるを得ません。

せめて国際教育研究拠点をいわきの若者が通える範囲内の場所につくってもらうか、もしくは拠点の分室（出先機関となるような施設）を市内に設けてもらいたいものですね。

一方、国際教育研究拠点に比べると、再生可能エネルギー工業団地のほうは設置場所の限定条件が比較的緩やかなので、首尾よく国と折衝して絶対に招致したいところです。いわきの将来を考えるうえで、不可欠なプロジェクトなのですから。

国と一体となって進めるハイテク先進地づくりは、経済発展の起爆剤になってくれることは間違いありません。

加えて、高校卒業者だけでなく、大学卒業者、大学院修了者、さらに東京圏で働く若手Uターン希望者の雇用の受け皿になる公算が極めて高く、若者層の東京圏への流出に一定の歯止めがかけられ、人口減少対策としても有効だといえます。

国際教育研究拠点の設置場所が、いわきの若者が通える場所ならいいと語ったのは、まさにこのメリットゆえです。

起死回生となるプロジェクトをいわきに呼び込むためにはどうすればいいか。その前に二つの計画の概要を述べていこうと思います。

まずは、再生エネルギーに関する工業団地の整備計画から説明していきましょう。

このプランは経済産業省が推進しています。太陽光発電や風力発電によるクリーンエネルギーと蓄電池技術を組み合わせ、１００％再生可能エネルギーで賄う工業団地を設けます。そこに脱炭素化に向け、積極的に事業展開する企業を誘致しようというものです。

併せて工業団地域内で使われるトラックやバスには、水素を燃料とするＦＣＶ（燃料電池車）が採用される計画にもなっています。

いわば次世代の脱炭素社会を先取りし、産業構造の転換を見据えたビジネスモデルを確立することで、そこに向かう牽引車役を担わせようとの狙いが計画には込められています。

経産省は２０３０年までに工業団地を整備する方針ですが、すでに２０２０年3月に開所となった浪江町の水素エネルギー研究フィールドでは、太陽光発電で水を電気分解して水素を取り出し、東京五輪・パラリンピックで用いられる予定のＦＣＶ車は、すべて浪江町のこの施設でつくられた水素で駆動させる計画になっています。

候補地として期待感が高まるいわき市ですが、選定されれば脱炭素社会の先進地として全国のモデルになるわけで、経済的波及効果だけでなく、市のイメージも上昇します。

また、工業団地の設置だけでなく、市の沿岸部に輸入した水素を陸揚げして貯蔵する大型施設をつくるなど様々プランが浮上していて、ぜひ誘致したいところですね。

２０２０年10月、政府は温暖化による気候変動対策として、「２０５０年に温室効果ガスの排出量を実質ゼロにする」というカーボンニュートラルを宣言しました。同時に経済成長を達成するため、「グリーン成長戦略」を策定しています。

世界の潮流に合わせ、国を挙げて脱炭素社会の実現に向けて大きく舵を切ったわけで、再生可能エネルギーに関する工業団地の整備計画は、その中心的事業の一つに位置づけられます。カーボンニュートラルを追い風に、さらなる事業規模の拡大も予想でき、行政と民間が一丸となった誘致運動が求められています。

2 国際教育研究拠点で創造的復興

続いて、国際教育研究拠点構想について触れていきましょう。

原発事故から10年経ちましたが、放射線量が高くて住めない帰還困難区域は解消されずに残り続け、およそ2万3000人がふるさとに戻れていません。

廃炉作業の大幅な遅れや、なかなかやまない風評被害もあって、依然として福島県浜通り地区は立ち直れていないのが実情です。

そこで復興庁は次の10年を第二期復興創生期間と定め、浜通りに「創造的復興の中核拠点」を設ける計画を発表しました。それが国際教育研究拠点構想です。

大学や企業と連携しながら世界最先端のイノベーションをこの拠点で創出し、同時に人材育成に努めるという内容になっています。2023年春に一部開所され、2024年に本格開所を迎える計画です。

従来、復興庁は新産業の創出や産業の国際競争力強化をテーマに掲げ、浜通りに研究開発拠点を整備する「福島イノベーション・コースト構想」を展開してきました。すでに浜通りの北部、南相馬市南相馬町に災害対応のロボットやドローンを研究する「福島ロボットテストフィールド」を開設するなど、一定の成果を上げげつつあります。

本計画はこれをバージョンアップさせて、日本、世界に共通する課題を克服するための技術革新を追求していく本格的基地を築こうとするものです。

そして得られた知識やノウハウを企業にフィードバックして、日本の産業の国際競争力を高めていく――。スピンオフによるベンチャー企業の台頭を促す役割も、このプログラムには込められています。

ちなみに、名称から単なる研究機関のように思われるかもしれませんが、行政と産・学の強力なタッグがこのプロジェクトのキモなのです。

ここ国際教育研究拠点では、次の5項目の研究課題に取り組む予定となっています。復興推進会議発行のニュースリリースを要約して紹介します。

●ロボット分野

原発の廃炉作業で用いるロボットの研究だけでなく、宇宙や深海といった過酷環境下においても遠隔操作できるロボットを開発する。併せて災害用ロボットの研究開発を進め、汎用性を持たせるためのデータ集積をしていく。また、ドローンの安全性基準やその運用システムの標準化に関する研究も深める。

●農林水産業分野

農地の集積化・大区画化を目指す政策方針に合わせ、ロボット技術などを活用したスマート農業の確立を図る。風評被害対策として、フードチェーン全体をＩＣＴ（インフォメーション&コミュニケーション・テクノロジー）化していく実証研究も進める。また、汚染地の環境回復とバイオ製品の原料生産を同時に可能とする作物の栽培・加工の研究に加え、バイオ製品の生産技術に関する研究にも取り組む。

●エネルギー分野

新たなエネルギーシステムの核になる、水素利用技術や蓄電池のリサイクルを含めた革新的技術の実用化に向けた戦略的研究に取り組む。

●放射線科学分野

放射性物質の分析技術を活用して、放射性廃棄物から有用放射性同位体元素を抽出。医療診断や創薬を含めた医学利用に生かすための研究に取り組む。また、放射線イメージング技術による画像診断への応用に関する研究も推進していく。

●原子力災害に関するデータや知見の集積・発信分野

原発事故及び廃炉や環境への影響にかかわる様々な情報や、復興に関する国、地方公共団体、大学、企業などが保有する各種データに対して、知識、教訓の一元化かつ長期的な情報集積を実施する。さらに、風評被害の払拭に向けた効果的な情報発信の手法を研究し、リスクコミュニケーションに関する社会科学研究も進める。

――と、実に多種多彩で意欲的な研究メニューがプランニングされています。国が長期間にわたってイニシアティブを握るというのも大きな特徴で、国家プロジェクトといっても決して過言ではありません。ぜひとも、いわきの地と深いかかわりを持った形で展開してほしいものです。プロジェクトの始動は、前述したように2023年と正式決定していて、すでに福島大学、東北大学、筑波大学、お茶の水女子大学、長崎大学が参加を表明しています。事故を起こした福島第一原発から一番近い大学として、私が所属する東日本国際大学もプログラムに参画できるよう、もっか調整中です。

なお、原発の廃炉をテーマにして、全国の高等専門学校（高専）生たちがロボットを試作してアイディアと技術力を競う「廃炉創造ロボコン」が毎年開催されてきましたが、2020年度の優勝は、いわき市にある福島高専チームでした。

ふるさとの受難に対して、原発事故に真摯に向き合う彼らの姿勢を見ていると、福島高専も国際教育研究拠点のメンバーに加えていいのではないかと私は考えます。

国は当初、最長でも40年間で廃炉作業を終えるとしていました。ところが最近では100年、いや300年かかるという声も一部に流れ始めています。専門家たちが形成するアカデミズムだけでなく、高専生たちの若い情熱や柔軟性、郷土愛もこのプロジェクトには不可欠なのではないでしょうか。

3　教育研究拠点の力でいわきを刷新

新エネルギー、ロボット、廃炉技術など、最先端のテクノロジーが集約される予定の国際教育研究拠点構想ではありますが、地域振興を考えるうえで、私は農業分野の研究にも着目しています。

いわき市の農業は農作物を育てて売って終わる1次産業型が中心で、収益率がさほど高くないことが問題点として指摘されてきました。

研究拠点では生産から販売に至る流れのICT化の研究が追求されますので、いわき市が教育研究拠点と密接に連携できれば、念願だった農業の6次産業化は間違いなく前進すると思います。

なお、6次産業化とは1次産業で生まれた農産物の価値を高めるため、2次産業化である食品加工をも考慮し、さらに3次産業である流通・販売まで視野に入れたシステムのことをいいます。「〈1〉1次産業×〈2〉2次産業×〈3〉3次産業＝〈6〉6次産業」ということで命名された経済用語です。

6次産業化により農作物の付加価値は上がり、利益率は向上します。また、農業を6次産業化に導くノウハウは、そのまま水産業にも転用できるでしょう。風評被害に苦しむいわきの漁業もきっと息を吹き返すはずです。その意味で、国際教育研究拠点の設立は、いわき市の農水産業を再構築する絶好の機会といえるのです。

そのためにも国際教育研究拠点をいわきの若者が通える圏内に整備してもらうか、研究拠点の分室をいわき市内に設けてもらい、研究拠点といわき市の緊密な関係を築くことが重要になっています。

いわき市を中心にした地域振興策を練る立場の私としては、農業、水産業を活性化するために、研究拠点との連携強化は発展のための欠かせないピースだと位置づけています。

国際教育研究拠点では、参加する大学の枠を超えた大学院間の連携研究を採用するなど、フレキシブルな体制が組まれます。また、地元の小中高校生に対して体験学習の場を提供することにもなっていて、先進テクノロジーに触れることで高等教育を受けたいという意欲が高まり、将来ここで活動したいと考える動機づけにもなるはずです。

さて、研究拠点構想には、地元の企業と共同研究をすることが要綱には盛り込まれています。そこで一つ提案をしたいと思います。

地元企業と研究拠点とで「共同学位プログラム」を策定し、若者が提携する企業で働きながら研究拠点で研究のサポートを行い、それによって大学の学位を与えるような仕組みをつくってもらえないだろうか。そうすれば全国、いや世界各地から優秀な若者たちが集まってくるでしょう。ぜひ導入していただきたいと思います。

工業都市であるいわきには研究拠点とパートナーを組める力を持つ企業が少なくなく、国にとってもメリットはあるという点もつけ加えておきましょう。

4　3部構成のプレゼンで国を動かす

いわき市の発展のためには、再生エネルギーの工業団地の市内誘致と、国際教育研究拠点と市との連携確立が絶対に必要だ——。いわきの地域振興を考えるスタンスから、そんなことを繰り返し語ってきました。

なんとしてもこのチャンスをつかまなくてはなりませんが、座視するだけでは幸運も去ってしまうもの。そこで確実に、いわきのために有利に交渉を展開するためのプレゼン方法を私なりに考えてみました。

国にかけ合うためには、まずは説得材料となる「ストーリー」が必要となります。そして、ストーリーには次の三つの視点が欠かせません。「被災地の意地」「柔軟性」「創造性」です。この3部構成で訴求すれば、国の担当官を動かす大きな力になると考えます。

中央で長く国家公務員をしてきたので、国の手の内が多少はわかります。いわば裏テク的なアドバイスといっていいでしょう。

[ストーリー①　被災地の意地]

有名な歴史学者トインビーは、「現代の世界にはいくつかの文明がある。しかし、現代の各文明は必ずしも古代文明が誕生した地で発生したわけではない。大変な経験をした地域、辛酸を嘗めた地域で生まれている」と述べています。

「レジリエンス」（Resilience）という言葉をご存じでしょうか？「復元力」とか「しなやかさ」と訳されますが、苦難を味わった地域ではレジリエンスが形成され、そこからパワーが発生して文明が生み出されるとトインビーはいうのです。

いわきは東日本大震災で地震、津波、原発事故、風評被害の四重苦に悩まされ、その傷は未だ癒えていません。

だからこそレジリエンスを発揮して、新産業をつくり上げて完全復興を果たしたい。そんな意地ともいえる決意を示せば国の担当者の心を動かせます。

ところで、世界で最も難しい課題の一つである廃炉についてですが、機器の遠隔操作、緻密で器用な動きを可能にするロボット製作、炉心状況を分析するＡＩ技術など、宇宙開発にそのままつながるハイレベルな技術が集積されています。

どちらかといえば暗いイメージに留まりがちな廃炉研究ではありますが、宇宙開発や深海探査など、未来ある産業とセットで国に提示し、そこに被災地の意地を込めて説明していけば、説得力を持った力強いプレゼンになることでしょう。

[ストーリー②　柔軟性]

いわきには再生エネルギーとは分野が異なる、金属バケツ製造の事業者が風力発電の風車製作を手がけるといった業種転換の事例があります。

国は業種転換を目指す事業者に対して、財政支援を打ち出してきました。こうした補助金制度について市職員がわかりやすい言葉で説明し、事業者が行動に移していけるような働きかけが大切です。

実際はそれほど大きなうねりでなくとも構いません。新産業への事業転換を促す機運を少しでも高めながら、芽生え始めている事例を一つずつ丁寧に国に示すことで、新たな予算獲得が可能になるだけでなく、再エネ工業団地や国際教育研究拠点といったビッグプロジェクトを呼び寄せる、確かな一歩になるのです。

いわきの産業構造の柔軟さを国にアピールすることで、未来のいわきをつくり出していくという図式ですね。

かつて遠洋漁業で栄えたいわきですが、国の発展を支えるために石炭採掘の街に姿を変えました。さらに炭鉱衰退の危機のなかで常磐ハワイアンセンターという観光エンタメ産業を生み出してもいます。また、小さな漁村だった小名浜を、東北地方有数の臨海工業地帯に押し上げた英知も誇れるものです。

いわきは産業構造を柔軟に変えていけるポテンシャルを持っていると信じています。これほど劇的に転換を果たした地は、日本中を見渡してもそうはありません。この財産をアピールポイントとして活用しない手はないでしょう。

［ストーリー③　創造性］

いわき在住の若者や、いわきからいったん東京などの大都市部に出て働き、Uターンを希望する若者などを対象に、起業を望む人を支援する制度の設置が待たれています。最近では、国内でも「スタートアップ起業支援」というういい方で広がりを見せつつあります。

国際教育研究拠点は、世界トップの産業を生み出すための研究を実践する場です。世界2位ではなくトップを目指すという点に気概を感じますよね。

私が市に望むのは、すでに教育研究拠点に参画意欲を示す大学の知力・ノウハウを活用し、いわきの若者の起業をサポートしてほしいということです。

若い感性に裏打ちされた創造性を育て、背中を押してやる制度の充実がこの地が立地に値すという証明になり、そんな姿勢が国を説得する大きな力になるのです。

私が文部科学省で働いていたとき、阪神淡路大震災、西日本豪雨災害、東日本大震災が起き、被災地への対応に追われました。

その際に感じたのは、一般的にいって西日本地域の役場は、本当に必要な最低限の予算より1・5から2倍も多く盛って要求してきたということ。それに比べ東日本、ことに東北地方の役場の方々は、現実に即した必要な分しか要求してこない傾向がありました。これは国家公務員の同僚たちの共通認識です。

東北人にとって悲しいたとえとなりますが、「したたかさ」という点では、戊辰戦争時の「薩摩長州」と「奥羽越列藩同盟」との違いに似ているなとふと感じてしまいました。

禁門の変（1864年）では砲火を交え、犬猿の仲だったはずなのに、薩摩藩、長州藩は目的のためにあっさりと手を握った。とくに長州藩などは、攘夷を声高に叫んでいたのに、現実を知るとあっさり開国に方針を転じました。

したたかさの差が、その後の発展の差になる場合が多々あるのも世の常です。「白河以北、一山百文」と侮蔑されたのは、あざとく対処できなかった結果です。これが以後に続く東北差別の出発点になってしまいました。

ちなみに、私は郷土の偉人として磐城平藩主の安藤信正を尊敬しています。大老井伊直弼が桜田門外の変で暗殺された後、信正は老中として幕府を背負い、公武合体路線を推進しました。幕政の責任者として、このときの重圧はいかばかりだったでしょう。安藤信正を見ていると、政治家はつくづく孤独だなと思います。

信正は火中の栗を拾って世情の安定のために一人奔走したのですが、1862年、坂下門外の変で水戸藩脱藩浪士らに襲撃され、負傷した信正は老中を退いて幕政の表舞台を去りました。その際、磐城平藩は事件を防げなかったとしてペナルティを科され、2万石減封の処分を受けています。

真面目ゆえに損な役回りを演じさせられた。責任感があって人格高潔な人物ではありましたが、残念ながらしたたかさには欠けたといわざるを得ません。

いわきの対応を見ていても、東北人らしい謙譲の美徳はいいとして、もっとしたたかさや戦略を持って政策を、そして予算を要望していってもいいのではないか。

再エネ工業団地の整備の件、国際教育研究拠点の件。今のままでは「たら・れば」の話で終わってしまう可能性もなきにしもあらず——。市の行政は勇気を奮って手を挙げ、いわきの代表として本音で要求をぶつけていきましょう。道は必ずや開けるはずです。

5　浜通り復興のための新提言機関

未だ手つかずの原子炉内部の核燃料デブリは推計880トンと膨大で、新たに国の方針として決まった処理水の海洋放出により、風評被害は再燃必至な状況です。

今に至るも解除されない帰還困難区域には、震災で倒壊した家屋が無残な姿で放置され、耕作放棄地を背の高い夏草が埋め尽くしています。

世界最悪レベルの悲惨な原発事故。その言葉の重さをこの10年間、何度噛みしめたことでしょう。福島浜通りの復興などもはや無理ではないのか——。住民からはそんな絶望的な声が漏れ出ます。

しかし、深刻な放射能汚染を見事に克服し、現在、繁栄を謳歌している地があるのです。アメリカ西海岸ワシントン州南東部にあるハンフォード地域がそれです。

成功例があると知れば勇気づけられますよね。それも民間が主導し実践したと知れば、どなたも驚くのではないでしょうか。

実はハンフォードの成功事例をモデルに、浜通りの復興再生を図ろうとする一般社団法人「福島浜通りトライデック」が２０２１年3月に設立されました。

組織の中心を担うのは、私が所属する東日本国際大学の福島復興創世研究所です。原発事故の現場から最も近い大学としての責務から、本学ではこの研究所を開設しました。

同研究所の所長の大西康夫氏は、放射能汚染や除染、被爆といった原子力関連の世界的権威です。チェルノブイリ事故の際には、水系・土壌の環境評価の米国責任者を任されました。アメリカに在住し、国立研究所や大学で50年研究を続けています。

大西氏自身、ハンフォードに長く住み、放射能汚染地帯から経済発展地域へと劇的に立ち直る姿をつぶさに見てきただけに、その卓越した知見は称賛に値します。浜通り復興のために力をお借りしたいと本学が招聘しました。

福島第一発電所の事故の折、日本政府はオバマ大統領に懇願し、危機対応の助言を得るために大西氏の来日を要請しています。その後も事故からの復興に携わっていただき、被災地にとって、これほど頼もしい味方は他にはいないでしょう。

ちなみに、本学地域振興戦略研究所の所長である私も、福島浜通りトライデックの設立メンバーの末席に名を連ね、子育てワーキンググループの座長を務めています。少しでも復興のお役に立てればと座長を引き受けました。

復興創生のキーにもなりうる福島浜通りトライデックについて語る前に、米国ハンフォード地域の成功について語っていきましょう。

6　汚染地を人気都市に変えた評議会

ワシントン州ハンフォードに、原子爆弾の材料となるプルトニウムを生成するサイトが誕生したのは、太平洋戦争さなかの１９４３年のことでした。

あの「マンハッタン計画」の一環であり、サイトには9基の原子炉が建設され、５基の核燃料の再処理工場が併設されました。これによりハンフォードは全米原子力産業の発祥の地になったのです。

この地にサイトが置かれたのは、もともと人がほとんど住んでいなかったことに加え、シアトルやポートランドといった大都会から300キロ以上も離れていたからでした。

研究者や建設作業員はハンフォードに隣接する三つの都市、リッチランド市、ケネウィック市、パスコ市に生活の場を設けることになりますが、この3市をまとめて「トライシティ」と呼んでいます。

サイトができてから20年後の1963年、トライシティに経済開発活動を推進する「原子力産業評議会」が住民たちによって結成されました。原子力産業は世界情勢や時の政権の政策に左右され、その結果、拡大、縮小が繰り返されます。ハンフォード地域の経済活動の安定化とさらなる拡大を目指すため、同評議会はつくられたのです。

この評議会に地元の商工会議所が加わり、1985年、「トライシティ開発評議会＝トライデック（Tri-Cities Development Council）」が誕生します。

トライデックは、前身の原子力産業評議会同様、地域経済の発展を考える非営利の組織です。トライシティを含めたハンフォード地区にある高等教育機関、国立研究所、地方公共団体、地域産業界の代表者が一堂に会し、将来のあるべきビジョンを議論します。そして、トライデックはそのビジョンを実現するために、ボトムアップ方式で合意形成を図りながら、産業振興や企業誘致を進めていきました。

１９８０年代になると、環境意識の高まりのなか、ハンフォード地区の放射能汚染が重大な懸念材料として浮上してきました。また、冷戦構造の変化により原爆製造は減少に向かい、プルトニウム生成基地としてのハンフォード・サイトの役目は終焉を迎えました。

サイトが設置された当時、まだ放射能の危険性に対する理解は浅く、サイトから排出された汚染水はコロンビア川にそのまま流されていました。放射性廃棄物の貯蔵タンクも強度が弱く、廃棄物が漏れ出て土地と地下水を汚染し続けたのです。そのためハンフォードの表面積の40％の土壌、全地下水の30％を占める水が汚染されていました。

米国エネルギー省、米国環境保護庁、ワシントン州当局の三者は協議し、１９８９年、ハンフォード・サイトの核施設を解体して放射能廃棄物を除去し、さらに放射能に汚染された広範囲な土壌と地下水を浄化するという、環境修復協定を締結しました。

この三者合意の形成に、トライデックは深く関与しただけでなく、開発評議会の主要な支援策として、サイトの除染事業の安定化に貢献していくことになりました。

地域の様々な意見をワンボイスにまとめて提言するトライデックは、原子炉解体や除染といった利害が絡む難しい局面でも調整機関として真価を発揮、ハンフォード地区の放射能汚染地の汚名返上は順調に進んだのです。

２０１０年にはハンフォード地区は全米で一番の雇用率上昇の地となり、２０１３年には人気の高まりから全米で6番目の人口増加率を誇る地域になりました。

トライデックという組織がなければ、ワシントン州の片田舎にある放射能にまみれた町が、全米でも有数の繁栄都市に生まれ変わることはなかったはずです。

雇用を創出するにはどうすればいいか。多くのイノベーションを生み出し、新しい産業を興すためには何をすべきか。復興再生に資するプログラムは具体的な示唆に富み、さながら宝の山のよう──。このトライデックの「資産」に、私たち福島浜通りトライデックのメンバーは、アメリカが秘めるポテンシャルの奥深さを再認識させられたのです。

7　福島浜通りトライデックへの期待

私たち東日本国際大学は、福島浜通りの復興を原状回復で終えてはならないと考えました。それで放射能汚染のマイナスを、鮮やかに経済発展というプラスに転じさせたトライデックに着目したのです。

米トライデックの思想は徹底した米国流のプラグマティズム（実用主義、実際主義）の実践に貫かれ、日本人の私たちには目から鱗でした。学ぶべきことは多々あり、復興再生に向けての勇気ももらいました。

前身のトライシティ原子力産業評議会時代を含めた、およそ60年のトライデックの活動から学ぶべき知見は多く、それを継承し、発展させていけるかは、私たち福島浜通りトライデックの参加メンバーの力量にかかっています。

そもそも私たちがこの組織を立ち上げたのは、地元企業、教育研究機関、地方自治体の間を調整する組織が福島浜通りになく、米国トライデックのような機関を開設する必要性を強く感じたからでした。

構想を私たちが発表すると、国からも高い評価を受けました。国が主導する「福島イノベーション・コースト」構想推進機構から、２０１９年に続いて２０２０年も採択事業に選定され、補助金もいただきました。

実は国もトライデックによるハンフォード地区の復興に関心を寄せてきました。経済産業省や原子力損害賠償・廃炉等支援機構は、現地を訪れて視察もしています。私たちの福島浜通りトライデックに国が賛同を示したのも、いわば当然の流れだったといえます。

なお、前項で紹介した、復興庁がリードする国際教育研究拠点のプランは、アメリカの国立パシフィック・ノースウェスト研究所（ＰＮＮＬ）にならったものでした。

ハンフォードにあるＰＮＮＬは、復興再生で大きな役割を演じてきました。浜通りにもＰＮＮＬに相当する国立の研究所が必要だという認識が高まり、国際教育研究拠点発足の運びとなったというわけです。

福島浜通りトライデックについてまとめていきましょう。設立目的は、いわき市ほか浜通りの九市町村や関連する団体、地域で活動する企業、事業者間の橋渡し役を担い、浜通り地域の復興創生を推進することです。

スローガンは「自分たちの運命は自分たちで決める」で、参加メンバーは地域産業のリーダー、市民活動家、高等教育機関の教員、職員、地方自治体などの議員らで構成され、事務局は東日本国際大学の福島復興創世研究所に置きました。

当面の活動目標として、次の五項目が挙げられています。前出した内容と一部重複しますが記載していきます。


「1」米国ハンフォード地域の経済発展モデルを福島浜通りで実現する。

「2」復興創生のためのグラスルーツ（民間による下からの草の根運動）のムーブメントにする。

「3」自分たちの運命は自分たちで決めるという、地域住民の自立した積極性を運営の根幹とする。

「4」国内外の若い世代を浜通りに引きつける、新たな魅力、ビジョンを創設し実現する。

「5」浜通りに居住する地域住民の「ふるさと」を創生するという、ボトムアップ的な草の根からの目標を掲げる。


また、当面のアクションとしては、以下の課題に取り組むことも決定しています。

●米国ハンフォード地域の経済発展に関する調査研究。

●浜通りイノベーション・コースト構想の各プロジェクトと、地域産業界の接点づくり。
●地域産業界の廃炉作業へのかかわり強化に対する支援。
●国際教育研究拠点の活動内容などに関する要望書の作成。
●浜通りの発展を支える人材の育成。
●浜通り地域の歴史、文化、観光の再発見。
●浜通り地域の暮らしを再生する地域貢献と社会活動の実践。

福島浜通りトライデックに込めた私たちの熱い思いをご理解いただけたでしょうか。根底には大震災で傷つき、放射能で汚れてしまったふるさとを、なんとしても日本、いや世界中に誇れる地域にしたいという願いがあります。

そして、日本、世界が直面する課題と真正面から取り組んでブレイクスルーの道を探し出し、この地で育てた人材を世界に送り出して活躍させる――。福島浜通りトライデックをそのための輝ける基地にしていきたい。

始動したばかりの福島浜通りトライデックですが、参加メンバーは燃えています。地元の要望に沿ってプログラムに磨きをかけ、必ずや浜通りの復興再生を成しとげて見せます。日本初となるこの試みに、ぜひご期待ください。

今でも鮮明な3・11の記憶——Column ①

10年前の3月11日午後、私は東京霞が関にある38階建ての文部科学省の建物にいました。突然立っていられないほどの大きな揺れに襲われ、窓から見下ろすといくつもの箇所から火の手が上がっているのが確認できました。

当時の所属部署は文科省の「幼保一体化プロジェクトチーム」で、その事務総括担当者として「認定こども園」という学校種の制度づくりに従事していました。認定こども園は、幼稚園と保育所のそれぞれのいいところを組み合わせた新しい仕組みです。

そのころ就学前の子どもの進路は、幼稚園か保育所かの選択でした。幼稚園は午前中で終わります。しかし働く保護者たちからは、午後にも子どもを預かって保育してほしいという要望が寄せられました。他方、保育所に通わせる保護者たちからは、保育活動だけでなく、幼児教育も行ってもらいたいとのリクエストがあったのです。

両方のニーズに応える思いから、幼稚園と保育所のそれぞれの利点を取り入れた認定こども園の制度化を国が決定し、幼保一体化プロジェクトチームが誕生したという経緯です。ちなみに、今では認定こども園は広く普及しています。

3月11日当日は、内閣府の会議に提出する認定こども園に関する資料を、同僚たちと検討していました。国が新しい制度をつくるときには、そのプロジェクトチームの職員は平日なら連日、徹夜に近い状態での仕事が続くわけですが、そのときもまったくそのような状況だったのです。

プロジェクトをまとめるには財源が重要となります。消費税財源は医療・介護に使われるのがそれまで通例でした。それを消費税増税に合わせて、幼児教育、子育てにも使えるようにしよう。そのために約7千億円を政府から捻出してもらうしかない。それを国に説得するための資料づくりを行っていました。


あまりに多忙で、資料整理の時間もなく、机上には1メートル近く資料が積み重なっていました。それが大震災の揺れで一気に崩れ去り、慌てふためいたのを覚えています。

大揺れに続き断続的な揺れが何度もやってきました。揺れが落ち着いたのを見計らっていわきの実家に電話を入れると、幸いにもつながり、母いわく「もう揺れも収まったから、こっちは大丈夫だよ」とのことでした。それで少し安心したのです。

テレビでは、宮城県南部の名取市閖上地区や、岩沼市にある仙台空港の目を覆うばかりの津波被害の中継が流れ続けていました。

東北大学に通っていた学生時代、閖上地区の中学生のところで3年間、家庭教師をやりました。まさに家庭教師をしていた生徒の自宅があった周辺が、津波に呑み込まれていく。その様子がオンタイムで何度も何度も画面に映し出され、心配でたまりませんでした。数か月後にはなりましたが、その生徒の無事が確認できて一安心した次第です。

大震災の翌日、12日の朝刊を見たときに愕然としました。震災当日の深夜までのテレビ放送では、津波の被害の映像は主に宮城県南部が中心でした。でも、全国紙が1面トップで報じたのは、ふるさと福島県いわき市にある薄磯海岸の津波被害だったのです。いわき市の海岸線の甚大な被害を知ったのは、その朝刊が初めてでした。

薄磯海岸は美しい砂浜が広がる遠浅の海で、日本の渚百選にも選定されたいわき市を代表する風光明媚な景勝地です。海水の透明度が高い人気の海水浴場として、何度も泳ぎにいったことがありました。

それが津波で見る影もない無残な姿に変わり果てていました。黒みがかった濁流がいろんなものを呑み込んでいく様を写した新聞写真に、ただただおののき、呆然と立ち尽くしたことを昨日のように思い出します。

大震災後は認定こども園の新制度づくりどころではなくなり、私は国として何か被災地を支援できることはないかと、被災地、特に福島県の情報収集に当たりました。でも、被災地も混乱を極め、電話やメールでは限界もあって、残念ながら確かな情報はまったく得られず、歯がゆさばかりが増しました。

　政府は、被災した現地に国の支援本部を置く必要があるだろうということで、福島県庁に「東日本大震災・日本政府現地対策本部」を設置しました。

　その際、現地で働く職員の公募があり、私は早速、手を挙げさせていただきました。そして、なんとか希望がかなって福島市に赴任し、被災地の課題を関係省庁につなぐ仕事をさせていただくことになったのです。


　福島県庁内の東日本大震災・日本政府現地対策本部が中心になり、文科省関連では、子どもたちの被災状況や学校施設の損壊実態などの情報を集めて国に報告し、それに基づいて国から人の派遣や財政支援を受ける体制が組まれました。そんな折、ある文科省の大臣官房職員からこんな指摘を受けました。

「福島県の報告が他県より遅れがちだが、その原因は面積が広いいわき市の実態把握に時間がかかっているからだ」

　故郷であるいわきのことですから、これは大変だなという思いに駆られました。

　そのころ私は、いわき出身の中央省庁の職員たちと「霞が関からいわき市を応援する会」を立ち上げ、支援体制を築き上げようとしていたところでした。

　で、そのネットワークを使って調べると、文科省以外の役所でも、いわき市の実態把握の遅れが課題として横たわっていることが判明しました。そこで今まで以上にいわきとの連携を深め、情報収集や支援体制強化に努めるようにしたのです。

市の教育長を始め多くの職員から聞き取りを行い、その内容を本省職員に直接つなげる活動をしていきました。子どもの心のケア支援としてスクールカウンセラーを派遣し、施設整備にも取り組みましたが、本省からの人的派遣や財政支援に、多少なりともお役に立てたと自負しています。


さて、被災地の依頼を関係省庁に伝える仕事を通して、私はささやかながら一つの制度をつくることに貢献できました。

大震災直前に担当していた、幼稚園と保育所の施設の被害状況は思っていたよりも大きいものでした。いわき市の海岸線では、建物のほとんどが崩れ、原形さえ留めていない幼稚園さえあったのです。

激甚災害に指定された地域には、その地域内の公共施設を国が財政支援する制度があります。しかし、施設の種類によって、支援の割合は異なっていました。

激甚災害に指定された地域では、保育所は建物損壊の修復費がほぼ100%国費で補填されます。それに比べて幼稚園は他の多くの公共施設と同様に、多くても半分までしか補填されません。生命や生活を守るための福祉施設=保育所と、あくまで教育を行う施設=幼稚園という違いがその理由とされました。

そこで当時、準備を進めていた新しい制度の認定こども園では、建物の復旧にかかる経費を100%補填する仕組みにしたいと考えて、調整に向けて動き出したのです。

制度設計を多少変えるだけで、簡単に支援できるように思われるでしょうが、未来永劫、激甚災害地域の施設にずっと100%施設復旧費を補償していく仕組みになるわけで、災害によっては新たに数百億単位のお金が動くようになります。そんな大規模な制度改正となることから、国との調整は難航を極めました。

実は、激甚災害法は1962年に制定されて以来、災害復旧への100%支援の対象施設の種類は法律でしっかりと定められていて、対象の拡大はなされてきませんでした。

そのため施設の種類を拡大する法律改正には、内閣府の防災担当や予算を持つ財務省とのハードルの高い折衝が必要となりました。

私自身、折衝に必要な資料づくりのために、何日間、職場で徹夜や宿泊をしたかわかりません。結局は調整がうまくいき、その支援制度を実現することができたのです。

本音をいえば、震災後はすぐにでもいわき市に入り、がれきの撤去や炊き出しなどの直接的な被災地支援を行いたい気持ちで一杯でした。

でも、それは許されませんでした。故郷のために、直ぐに現地入りして手助けできないことへの罪悪感や焦燥感が私を苛みました。

実際、震災直後に上司にその旨を伝え、しばらく被災地支援のための休暇をいただきたいと願い出たのです。ところが上司からこういわれました。

「そうした意気込みは確かに素晴らしいと思う。心情も十分に理解できる。だが、国家公務員として、国が担う制度をよりよく改善していく形での貢献もある。それがお前にしかできない貢献ではないか」

その言葉によって救われました。私は福島県庁に置かれた東日本大震災・日本政府現地対策本部での仕事を続けることにしました。

結果として客観的な立場から大震災の現場も見ることができ、新しい財政支援制度を生み出せたことは、とても喜ばしいことだと考えています。

それぞれの方が置かれた立場や職場の部署で、専門性を生かした力を発揮することも復興支援のあり方だと実感した次第です。

第二章　教育は国家百年の大計なり

いわき市を教育の先進地に変え
次代を担う優れた人材を輩出する

1　学ぶべき二人の偉大な改革者

尊敬する歴史上の人物を聞かれたら、上杉鷹山《ようざん》と山田方谷《ほうこく》だと答えることにしています。歴史にそれほどくわしくないという方のために、簡潔にご紹介させていただきます。

上杉鷹山は江戸時代中期から後期にかけての偉人で、出羽米沢藩（山形県米沢市）の第9代藩主です。他家から請われて養子に入り、藩主に就任したとき、米沢藩の借金は16万両（現在の貨幣価値でおよそ160億円：江戸中期）にも膨れ上がっていました。

そんなボロボロ藩の当主になるのは、まさに「泥船に乗る」ですよね。まったく損な役回り。しかし鷹山はためらわず、改善のための数々の改革を打ち出していきます。

農業政策では、家臣を動員して荒れ地の開墾をさせました。さらに水害対策として最上川の堤防づくりに藩士を従事させ、道や橋、灌漑用水の普請も命じたのです。武士に土木作業をさせたのは、異例中の異例というしかありません。

また、年貢を徴収する代官の世襲を不正の温床になるからと禁じ、下級武士から優秀な人材を抜擢して登用しました。農業指導員を藩から各村に派遣してもいます。

藩の財政収支の明細をまとめた「会計一円帳」を毎年作成し、藩士全員に配布したのも鷹山ならでは。現代風にいえば積極的な情報公開ですね。

製紙、ロウソクづくりなど、家内工業的な産業も積極的に奨励しました。なかでも成功を収めたのが絹織物の米沢織でした。米沢織は巨利を稼ぎ出す特産品に成長していきます。

こうした諸改革で、米沢藩は莫大な借財を完済しました。それだけではなく、若干ながら蓄えさえも残したのです。

「なせばなる　なさねばならぬ何事も　なさぬは人のなさぬなりけり」は後継藩主の治弘に贈った世子心得ですが、この金言はいつも私の心の中にあります。

まるで歴史の本のようになってしまいましたが、もう一人の山田方谷は幕末の傑物です。備中松山藩（岡山県高梁市）の執政（藩政の責任者）になり改革に邁進しました。

備中松山藩は譜代名門の板倉家が治める5万石の小藩です。でも5万石は表看板に過ぎず、年間の実収入は2万石を切っていました。

それだけでも財政は苦しいのに、幕末には積もり積もった借金10万両（現在の貨幣価値でおよそ50億円：幕末期）がのしかかって青息吐息の状態に。新藩主に就いた板倉勝静は方谷に藩の未来を託します。

方谷がまずやったのは倹約令の発布で、当然の施策といえます。それに合わせて藩財政の徹底した情報公開に踏み切りました。これは鷹山も実施したことですが、窮状を可視化させることで人心もついてくるし、逆境に立ち向かうモチベーションも生まれます。改革に情報公開が不可欠なのは、今も昔も変わりがないようです。

煙草、茶、和紙などの特産品の開発にも熱心で、ことに売り上げに貢献したのが藩領で採れる砂鉄を用いてつくった備中鍬でした。特産品の販売は通常、大坂商人に仲介させるのが一般的ですが、方谷は利益率を上げるために中間マージンを取る大坂商人を通さず、江戸の藩邸に小売の商人たちを集めて彼らに売らせました。

改革は大成功を収め、20万石に匹敵する収入を藩にもたらしました。10万両の借財は10年で返し終わり、逆に10万両の蓄えを残したのです。

2　教育と産業振興は改革の両輪

二人の数々の偉業のなかでも、私は教育に注目したいと思います。鷹山と方谷は教育を大変重視しました。

鷹山は長らく閉鎖されていた藩校を再興して興譲館の名を与え、次代の改革を託す人材の育成に努めました。藩士だけでなく農民にも門戸を開き、最盛期には通学生1000人を誇りました。現在、米沢市が教育に力を入れるのは、鷹山以来の伝統といえます。

儒学者だった方谷は藩校有終館の学頭（校長職）を務めるだけでなく、私塾牛麓舎でも教えました。こちらも武士に限定せずに農民、町民も受け入れ、優秀な人材は藩士に取り立てて改革を担わせました。

当時としては考えられないことですが、方谷は女子にも教育を施しました。教え子だった福西志計子は、後に女子教育の先駆者となり、順正女学院を創立しています。

産業振興と教育は改革の両輪だ。鷹山と方谷を見ていると、その念が強まるばかりです。そして教育が明日の姿を決める――。そんな言葉も二人から伝わってきます。

「教育は国家百年の大計」とは中国春秋戦国時代の管仲の言葉ですが、人材育成こそ国の要であり、目先のことに一喜一憂するのではなく、長期的な視野に立ち腰を据えて人づくりをしていくことが肝心なのです。

3 求められる課題探求型の学習

私は上杉鷹山、山田方谷から人づくりの重要性を学びました。興味のある方はぜひ鷹山、方谷について調べてみてください。さて、この二人の考えを現代にあてはめるとすれば、学校教育ではどのような政策が必要となるでしょう。

ここ10数年の間、インターネットやSNSの急速な台頭で、世の中の技術革新はめまぐるしい速度で進化しています。都市部で地下鉄に乗っていると、ほぼ全員の乗客が真剣にスマホを眺めています。こんな光景を10年前、みなさんは予想できましたか。

こうした技術革新に輪をかけて、社会で起きている諸問題も、その解決は難しく厳しいものになってきました。

たとえば新型コロナウイルス感染症への対応や、地球温暖化による大規模豪雨災害対策、そして、それに向けた平時からの危機管理と災害時への備え……。

さらには東日本大震災に伴う、福島第一原子力発電所事故を踏まえた廃炉への道筋の困難さなど、前例がない深刻な課題が年々、増えているのではないでしょうか。

かつてないほどの急激な技術革新と、世界規模、地球規模の諸課題の深刻さに直面するなか、次代を担う子どもたちは、以前の世代が学校で学んだような「知識注入型」の教育を受けるだけでは、もはや到底立ち打ちできません。

既定の知識を学んで、それを自分の仕事や生活に応用するという時代は、とっくに終わりました。「正解」にたどり着く明確な「解」がなかなか見いだせない時代に突入しているといわざるを得ないのです。

市民にとっての身近な例を挙げれば、福島県産品の風評被害の問題ですね。東アジア、東南アジア諸国で、今なお約4割の国々が、福島県産品のいくつかの品目を輸入規制の対象としている現状があります。

しかし、国際基準に照らしてみると、出荷できる放射線基準値はゆうにクリアしています。これはまったく余談ですが、輸入を規制しているある国に対し、「あなたの国の放射線量の方がむしろ高いですよね?」といってやりたい気持ちになることもあります。

なぜ、風評なるものが起きてしまうのか。風評はエビデンス（科学的根拠）もなしに、イメージとか感覚によって形成されてしまうことが多いためです。つまり、真理からかけ離れたところから生まれることが往々にしてあるということ。

それでは風評被害払拭のため、どのようにして福島県産品の安全性を訴えるべきか。

私はいくつかの大学で非常勤講師をしていますが、授業のなかでこの問題の解決策を学生に投げかけると、たくさんのアイディアが次から次へと出てきます。

「農作物をそのままの姿で『福島産』として流通させるよりも、インパクトのある商品として流通をさせるのはどうか？」といったアイディアをある学生が口にしました。

実際、大学生と民間事業者とが連携し、福島県産酒米で、バレンタインデー用のかわいいボトルにラッピングを被せたお酒ができて、飛ぶように売れた例もあります。

もちろん、たった一つの「正解」はなく、この学生のアイディアも様々なアプローチのうちの一例でしかありません。

前例のないことに取り組むには、いろんな角度からアイディアをひねり出すことでしか打開策は浮上してこない。時代を隔てても、鷹山、方谷はこうして難局を乗り越えていったのでしょう。正解が見えない難題にどう挑み、どうやって克服していくか――。そんな力を育むことが重要になってきました。

正解が見通せないなかで、若者たちが正解に少しでも近いと思う解決策を考え、模索し、実際に行動に移してみる。自分が持っている知識や経験に加え、教材に述べられている知見、さらには他者との対話を通じて得られる気づきや発見などを総動員し、自らの頭を絞り出して現状打破の道を探っていく。

今、こうした「課題探究型」の学習が求められています。教育技法としては「アクティブ・ラーニング」と呼ばれ、文部科学省ではこの技法を「主体的で対話的で深い学び」と定義をしています。

そして、そんな創造的学びを実現する切り札の一つとして、国が投入したのが「ＧＩＧＡスクール」でした。ＧＩＧＡは「Global and Innovation Gateway for All」の頭文字から採った言葉で、この構想により児童生徒一人に1台の端末が与えられ、学校には高速大容量の通信ネットワークが導入されます。

つまり授業の場にＩＣＴ（インフォメーション&コミュニケーション・テクノロジー）環境が整うということ。新型コロナウイルスの拡大により、遠隔通信による学びを推奨しようと、整備が一気に進められたのです。

しかし、ＩＣＴ環境が整ったから終わりなのではなく、大切なのはこの環境をうまくフル活用できるかどうか。それがアクティブ・ラーニングの成否を分けます。

ＩＣＴによって、教師は一人ひとりの反応をチェックしながら授業ができるようになりました。一人ひとりの考えや意見をクラス全体で共有して思索を深めるような活動や、授業中に各人が進捗度に応じた別々の問題演習をしたり、個々の学習履歴を記録したり――。

また、リアルタイムに複数の児童生徒間で双方向に意見交換を行うことができ、意見を出したり発言したりする機会を増やすことも可能にしました。

なお、ＧＩＧＡスクールでは、特別支援学校や特別支援学級用、視覚障害や聴覚障害のある方向けの教材もたくさん開発されています。

ＧＩＧＡスクールの利点を生かすために重要なのは、教師がしっかりとパソコンを使いこなせたうえで、こうした児童生徒の活動をうまくコーディネイトできるスキルを磨くことです。ＩＣＴ支援員が派遣されていますが、どこもまだまだ人数が少なく、特に50歳台以上の教師はパソコン操作に苦手意識を持つ人が多いのが現実です。

スキルを全教師に持ってもらうことは、一朝一夕でできる話ではありません。そのための方法としては、まずはＩＣＴを使った実践が得意な教師を各学校3～4名ずつ選び、それらの教師が一堂に会して一流のインストラクターから学ぶ研修を集中的に行い、その成果を各学校に持ち帰って広めていく。

さらに、区域に複数のＩＣＴ実践モデル校を選定し、集中投資によって最先端の授業展開を行う学校をいくつかつくるところからスタートさせればいいのです。そうすれば教師全体のスキルはアップし、ＧＩＧＡスクールも着実に軌道に乗っていきます。

いわき市を含め、ほとんどの市区町村ではＧＩＧＡスクール構想のような新しい動きがあるときに、全学校平等で、かつ薄播きに予算を配布しがちです。それはいいことに見えて、実は広く浅い成果しか得られないのです。

各学校で核になる教師を立て、そして市内でモデルになる学校に重点投資をして、そこでまわりの教師や学校に学んでもらう。新しい動きを教育界に定着させるには、こうした政策手法を取らないと、物事はなかなか前進していきません。

4 いわきが誇る教育実践を全生徒へ

話をアクティブ・ラーニングに戻しましょう。実はいわき市では、すでに全国に先駆けた優れた取り組みをしています。一つは中学校の生徒会役員が一堂に会する「生徒会長サミット」で、もう一つは生徒会の役員以外の生徒まで含めた「いわき志塾」です。

どちらも年間を通して、毎月から隔月ぐらいのペースで生徒たちが集まり、国内外を問わずの交流活動やワークショップを開いています。

ともに未来のいわきを担う人材の育成を目的として発足し、ワークショップでは企業経営者やプロスポーツ選手、中央官庁のリーダーといった第一線で活躍する方々を招き、自分たちの夢やいわきの将来、さらに地球規模の課題をテーマにした討論がなされています。

文部科学省の職員だったとき、いわき市のこれらの取り組みの素晴らしさについて、同僚たちとよく話題にしたものです。これだけ定期的に何回も集まって、生徒たちが大人とも真剣に意見交換し、考えを深める場は全国的にも珍しいのではないか――。

私も中央省庁から講師が集まる会にご招待いただき、中学生のワークショップに参加する機会がありました。最初のワークショップは6月でしたが、12月の成果発表の際には、生徒たちの成長ぶりに目を見張りました。たった半年しか経っていないのに、一人ひとりの分析力、表現力の向上は見違えるほどだったからです。

生徒会長サミットにしてもいわき志塾にしても、現状は各学校でリーダーとして活躍している生徒が中心になっています。今後はリーダー層に限らず、活動が各学校の全生徒に広げていくようにできないか。極めて有効なアクティブ・ラーニングの実践だけに、一部限定ではもったいないと思うのです。

たとえば、生徒会長サミットやいわき志塾に参加した生徒たちが、各学校版のサミットや志塾を企画・運営し、一般生徒を啓蒙していくことで、これまでリーダーではなかった生徒も、社会課題や自分の志、人生の目標と真剣に向き合う機会を得ることができます。

そうすることでより多くの課題探求力に優れた人材の輩出が可能となり、結果としていわきの発展に資することができるはずです。ぜひとも広めたいと考えています。

さて、自分から積極的に手を挙げて生徒会役員をやるような生徒は、目が外に向いている傾向が強く、高校卒業後に首都圏の大学に進学し、そのまま都市部の企業に就職するケースが多いようです。

こうした生徒には日本の第一線に羽ばたいて活躍してもらい、得た力をフィードバックして、いわき市のために貢献してほしいと願っています。

他方で、生徒会役員に立候補するほどの積極性はなくても、一つひとつ目の前の課題に努力して真面目に取り組む子どもたちも数多くいます。こうした若者がいわき市に残り、やがて地元の経済界で活躍してリーダーになっていきます。

実際、そのような人材がいわき市の経済を支えているといっても過言ではありません。いわき市の商業高校や工業高校を卒業後、そのまま地元に就職してから素晴らしい経営者になられ、いわき経済を牽引する方々とたくさんお目にかかってきました。

小中学校の時点では生徒会のリーダーまで務めなくても、真剣に頑張る力を秘めた児童生徒がたくさんいます。そんな子どもにも光をあてる、新しいタイプのアクティブ・ラーニングの開発にも力を入れるべきですね。

5　エリムを起業家教育の拠点にする

アクティブ・ラーニングという点で、もう一つ特筆すべき取り組みがいわき市にあります。「いわき市体験型経済教育施設Ｅｌｅｍ（エリム）」（公益社団法人ジュニア・アチーブメント日本と、いわき市教育委員会が協同運営）です。

中東の国カタールが、東日本大震災の復興を支援するために設けた「カタールフレンド基金」からの支援で創設されました。エリムとは、アラビア語で教育の意味です。

市内協賛企業の協力のもと、エリムでは小学校5年生と中学校2年生が、施設内に再現された街中で社会の仕組みや経済の働きを体験学習していきます。

小学5年生は、スチューデント・パークという常設ブースの各店舗で、販売側と消費者側を同時に体験します。各ブース店舗での社内会議、仕事体験、ショッピング、全体ミーティングなどの活動を通じ、積極的に行動することや意思決定の重要性を学びます。

中学2年生は、ファイナンス・パークという常設ブースで、年齢や家族構成、年収などが割り振られた個人情報カードをもとに、生活に必要な資料や情報を集め、自らの意志で実際に生活設計を行います。自分の充実した生活のため、しっかりとした意思決定の大切さを、体験を通して身につけることが可能です。

エリムでの取り組みは小学5年と中学2年に限定されていますが、この二つの学年に限定するのは、アクティブ・ラーニングの面からいっても、もったいない話だと思います。

同様の施設として京都市に「京都まなびの街生き方探究館」があり、エリム同様、いくつかの京都市内の企業が館内にブースを出し、児童生徒に体験活動の場を提供しています。

エリムとの違いは、ブースを出す企業が児童生徒のインターンシップ（就業体験）を年間通じて受け付けている点です。児童生徒が探究館で関心を持った企業に応募し、課題意識を持ちつつ、実際に就業体験をしていきます。

探究館では起業家教育の出前授業もしています。私も見学したことがありますが、中学生・高校生に対して、会社を興すノウハウや企業経営の醍醐味を、ある社長がワークショップを通じて熱くお話をしていました。

いわき市のエリムでも、京都の探究館が実践している起業家教育ができないものか。首都圏に出て勝負したいと考える若者に加え、地元に残っていわきの発展に尽くしたいという若者層にとっても、とても魅力的で実になる経験になります。

第一章では先端産業で人材の還流を図るべきだという、将来のいわき市のために欠かせないミッションについて触れましたが、市の発展のためには、エリムを拠点にした「いわき型起業家教育」も絶対に必要なのです。

6 「いわき学」でいわき愛の種を蒔く

前章では深刻な若者の人口流出の現状について触れました。中学生や高校生段階では、たとえいわき市に住んでいても、地元のよさなどはわからないものです。地元を離れてみて、ようやく客観的にその素晴らしさを実感できる。

私も学生時代、そして社会人になっても、夏休みや冬休みのたびに、いわきに帰りたくて帰省を楽しみにしたものです。

いわきの自然、食、歴史、文化などの資源を「いわき学」として体系化し、教材化することでいわき市の素晴らしさを思い出し、いわき市に戻って活躍する「種」を子供たちに植えつけられないか。今そんなことを考えています。

文部科学省の役人時代、教育行政の仕事で岡山県に出向したことがありました。

岡山県は教育県といわれますが、その原点は江戸初期の1670年、岡山藩主の池田光政が創設した藩校の閑谷学校（岡山県備前市）でした。閑谷学校は世界最古の庶民のための学校とされ、藩士の子弟だけでなく農民や町民も学べました。さらに、よその藩の子弟も受け入れるという間口の広さが特徴といえます。

赴任中に感心したのは、この閑谷学校にちなんだ「閑谷学」という教育パッケージを展開していたことです。子どものうちから地域おこしや伝統芸能、祭りなどを体験しつつ、地域に入り込んで課題を探求していく取り組みでした。

地域おこしではこんな事例がありました。商店街にある移転した銀行の空きスペースをどうするか。高校生や大学生、お年寄りが集まって様々なアイディアを出し合いました。

そこでお年寄りから「年金暮らしで時間のある高齢者がボランティアでカフェを開く」という意見が出され、高校生からは「放課後に自分たちも手伝う」という発言がありました。結果、元銀行だった場所に世代を超えた交流スペースが生まれたのです。

文科省から福島大学に出向していたとき、先ほど触れた「いわき志塾」に招かれました。「国連で活躍したい」「有名なパティシエになって、世界の一流レストランを飛びまわりたい」「英語を武器に世界を渡り歩く」「全国各地に赴いて、冤罪被害者を救う弁護士になりたい」という声が次々挙がり、頼もしく感じた反面、一抹の寂しさも覚えたのです。

そのときのいわき志塾の参加メンバーは、中学校の生徒会役員たちが中心でした。ですから、生徒全体を代表する意見ではないとは思います。また世界に飛び出して自分の力を試したいという若者らしい気持ちも理解できます。私自身、中学や高校のころには、そんな考えをもっていましたから。

そうした若者の気持ちや志は、もちろん否定すべきではないですし、どんどんチャレンジして、活躍してほしいと思います。

一方で、いわき市役所が行ったアンケートでは、高校生の4割はいわき市に将来の定住を望まないとし、前述したように、若者たちの6割から7割が高校卒業段階で都市部に流出してしまうというデータもあります。

とはいえ、いったん首都圏などで活躍したいわき市出身の人材が、いわき市に戻ってきて、これまでの経験を生かして地元で活躍してくれれば、それはいわき市の発展にとって大きな力になります。

子どもたちにいわき市への愛をもってもらうため、岡山県でやっていた閑谷学をいわき市でも取り入れ、「いわき学」を展開したら面白いのではないか。テーマは「ふるさといわき」とし、そこに歴史を絡めてプログラムを作成していくのがミソです。

たとえば、いわきは富国強兵の時代、常磐炭鉱で国に大いに貢献しました。その歴史を国のエネルギー政策と関連づけて学ばせれば、子どもたちの理解もより深まります。

雅な歌枕の勿来の関や、奥州藤原氏の平安文化を今に伝える国宝の白水阿弥陀堂もあります。史跡、食べ物、産業遺産、自然美と、いわきが誇る豊富な題材を歴史に絡めた切り口で教えれば、先祖がどんな努力をしてきたかなど、自分たちのルーツにたいする関心が高まり、郷土に対する愛着も増すことは間違いありません。

必ずしも歴史と関連付けなくて結構です。小学生と高齢者が地域おこしを話し合い、中学生と社会人が街の問題点を討論したりするのもいい。問題解決に向けた新しい視点が生まれてくることでしょう。

要はいわきの人、歴史、産業、自然、食などの地域の魅力をきちんと体系化して次世代に伝え、それを対外的にも発信していく。私は東日本国際大学の地域振興戦略研究所で、そんな取り組みを始めています。

7　進学実績低迷といういわきの課題

全国学力・学習状況調査をご存じでしょうか？　国が毎年、小学6年生、中学3年生を対象に行っている調査です。

この調査は従来型のドリルを解くような問題ではなく、ここまでずっと書いてきた、アクティブ・ラーニングでの学びの成果を見ることを目指した調査になっています。

たとえば、国語の問題では左側に地図があり、A地点からB地点へ向かうルートが地図上に示されています。右側には、そのルートを細かく順を追って説明する文章が数行あります。で、数行のうちの1行分がまるまる空白になっていて、そこを文章で埋めしていく。地図からの情報収集力や文章読解力、さらに表現力を評価する問題です。

算数の問題では、ある学級での算数の授業の場面が取り扱われていました。児童どうしが一つの文章題を数式に落とすために議論している様子が描かれ、掛け算にすべきところを割り算で表現する児童がいた。その間違いの理由を説明しなさいといった問題です。

これも算数の四則演算の基礎知識に加え、情報収集力や文章読解力、表現力を評価するような問題になっています。

全国学力・学習状況調査では、福島県は全国平均レベルといったところですね。国語はだいたい47都道府県中20番台で、算数・数学と英語はほぼ30番台と、国語より若干成績を落としています。

おおむね並というわけですが、問題は学年が上がるにつれて全国平均より学力が下がっていく傾向があり、福島県の大きな課題になっています。

ちなみに、いわき市は郡山市、福島市よりも学力調査の結果は下位で、いわき生まれの私は調査のたびに残念な思いをしてきました。

いわき市の特徴として、高校生になると学力が下がる点も指摘され、高校入学後に伸びないことがいわき市の進学実績低迷の要因とされています。

なお、誤解していただきたくないのは、私がいいたいのは何人有名大学に入学できたかというような、薄っぺらな教育論ではないのです。

とはいえ、教育には多くの公費が投入されています。行政は公費を有効に活用し、教育によって住民の知的レベルを高めることで、地域の課題解決や発展に貢献してもらうよう努力する責務があります。そのために高校生の進路実績を上げる方策を考えるのは、やはり意味のあることだといえるのではないでしょうか。

かつて文部科学省の官僚だった経験からいえば、小中学校は市の教育委員会が担当し、高校は県教育庁の管轄と、指導が分断されている制度上の仕組みも連携を難しくする要因となっています。市の教育委員会と県の教育庁との関係をより緊密にし、問題点を共有する工夫も今後はより重要になってくるでしょう。

私は役人時代、福島県の次期教育計画（第七次総合教育計画）の策定懇談会座長を務めたことがありました。そこで培った人脈を活用し、いわき市の成績向上を図るアドバイスを今後も続けていきたいと考えています。

8　いわき市の生徒の学力を日本一に

児童生徒の学力を伸ばすのは、簡単ではないが方法はある――。長年、文部科学行政に携わってきた私の結論です。だから、いわきの学力を日本一にすることも実は可能なのです。では、どうすればそんなことが実現できるのか。要は児童生徒がつまずく分野をデータによって客観的に比較・分析し、遅れを取り戻せばいいのです。

全国調査結果をもとにして、学校ごとに市平均・県平均・全国平均と見比べれば、分野ごとの得意と不得意が明確になります。その不得意分野を授業で集中的に取り上げるとともに、地域ごとの教員研修で授業研究を行い、指導法の改善に努めます。

つまり、目の前の子どもたちの状況を、健康診断をするようにしっかりと数値化し、弱みを明らかにして、手を打っていくということ。

病気の診察や健康診断とまったく同じ方法ですが、教育の世界ではそうした基本的姿勢が疎かになりがちです。

この手法は私のオリジナルではなく、ＥＢＰＭ（エビデンス・ベースド・ポリシー・メイキング）という行政学のメソッドに基づくものです。政策目標を明確に打ち出して、科学的根拠（エビデンス）をもとに政策立案していく。その場限りの政策判断にならないので、極めて有効とされています。

なお、進捗状況を管理して改善していくＰＤＣＡサイクルという手法も、行政ではよく用いられます。「Ｐ＝ＰＬＡＮ（計画立案）→Ｄ＝ＤＯ（計画実行）→Ｃ＝ＣＨＥＣＫ（計画評価）→Ａ＝ＡＣＴＩＯＮ（計画の改善）→Ｐ＝ＰＬＡＮ……」とサイクルをまわしていき、うまくいかないときは見直しを図っていくシステムです。

政策実行の現場を見ていて、ＥＢＰＭやＰＤＣＡサイクルをもっと有効に活用すればいいのにと思うことがしばしばですね。教育においてもこの二つの手法を導入すれば、確実に成果は上がっていくはずです。

私の知る限りにおいて、秋田県など結果を出している他県では、苦手分野、課題分野を学校ごと、学年ごと、学級ごとにきちんと数値化して分析しています。そして先生たちのお互いの授業の「見せ合い」による研鑽が、とても盛んに行われていました。

クラスごとの細やかなデータに基づき、課題やその傾向に併せた授業方法を採用し、さらに指導方法のノウハウを共有し合うシステムが構築されているのです。教員研修にもそれが生かされるなど、政策にもしっかりと落とし込まれています。

10年ほど前のことですが、私は秋田県教育庁に出向し、高校教育課長をしていました。その年に初めて全国学力・学習状況調査があり、秋田県の教育関係者は、最下位でなければいいというレベルで考えていたのです。

ところが、蓋を開けてみればなんとトップ。関係者の安堵を通り越した驚きの表情が今でも忘れられません。秋田はその後も上位を占め、教育県の名をほしいままにしています。

しかし、小中学校は全国1位に輝いたのに、秋田県の高校生の大学進学実績は芳しくありませんでした。それも高校入学時の成績はそれなりにいいのに、出口である進学実績がぱっとしない。今のいわき市にも共通する伸び悩み状態でした。

この高校の低迷ぶりを議会が取り上げ、私は高校教育課長として批判の矢面に立たされました。さらに、県民からも多数の苦情が寄せられて、さながら針の筵――。

秋田県知事から「型破りなことをしてもいいから、高校の教育改革をしっかりとやってほしい」と訓示を受け、私は「高校生パワーアップ事業」と銘打った進路指導パッケージを展開することにしました。

まずは首都圏から進学実績に定評のある有名予備校の講師を秋田に招き、県内の高校の先生たちと授業技術を研鑽するワーキングチームを開設。進路指導に長けた先生を各地域の進学拠点校に重点的に配置し、意欲に富む若手教員の抜擢も行いました。

同時に、各教科の単元ごとに細かく学習到達度をチェックし、それを数値化して分析することで改善点を見つけていきました。

先ほど小中学校の学力増進のところで述べた、健康診断で悪いところを発見して集中的に治していく、身体の治療と同じ手法ですね。

振り返れば県知事の支持もあり、次々と手を打っていけたことも大きかったと思います。それらが奏功し、結果は思いのほか早く出ました。東北6県では5位に水をあけられてのダントツ最下位だったものが、宮城県に次ぐ東北第2位に躍り出たのです。

策定した高校生パワーアップ事業は成功し、全国紙が大きく取り上げて報じてくれました。また、週刊誌の『AERA』（朝日新聞出版）も、「県庁で一番大変な課長」のタイトルで私の奮闘を特集にしてくれ、大変照れくさい思いもしました。

ちなみに、秋田県はその後も堅調な進学実績を発揮し、仙台市を擁する宮城県には劣るものの、東北第2位の座をおおむね維持しています。

長々と自慢話のようになってしまいましたが、小中学校では先ほどのEBPM、PDCAの手法で、いわき市の児童生徒が苦手とする分野を明確にし、その分野で成果を挙げる授業方法や指導方法のノウハウを他の市町村のやり方を参考にしながら確立していく。

また、高校での伸び悩みについては、秋田でやった高校生パワーアップ事業のような取り組みをいわき市で展開することがベストでしょう。いわきを日本一の学力の市にすることは、そんなに難しいことではないと私は考えています。

9　教育「日本一」は幼児教育から

人間には「認知能力」と「非認知能力」という2点の能力があります。認知能力は、計算・漢字ドリルの得点やＩＱ、偏差値など数値化できる能力、つまりペーパーテストなどで点数にしやすい能力のことです。

一方、非認知能力は、物事を成しとげる粘り強さや、努力する意思の固さ、感性や表現力の豊かさなど、人が生きていくうえでベースになる能力を指します。こちらはなかなか数値化になじまない能力といえます。

旧来の日本の教育では、認知能力の成果が重視されがちでした。しかし近年、教育学者や心理学者から、非認知能力の力に注目が集まっています。その根拠として、アメリカの「ペリー就学前調査」という大規模な調査があります。文部科学省も幼児教育の意義を説明するときに用いる調査結果です。

ペリー就学前調査は、ノーベル経済学賞を受賞した、ジェームズ・ヘックマンという米国の学者が中心になって実施しました。１９６２年から67年までの5年間、アメリカミシガン州に住む3～4歳児を対象に、非認知能力を培う幼児教育の成果がどう影響を及ぼしたかを調べたものです。

123名の子供を二つのグループに分け、就学前教育を施す者（Aグループ）と施さない者（Bグループ）とに分け、その後、長きにわたって学力や経済状況まで追跡していきました。少々生々しい結果ですが、数値をそのまま紹介します。

〈14歳時点で基礎学力を達成した者の割合〉
Aグループ（就学前教育実施。以下同） 49％
Bグループ（就学前教育未実施。以下同） 15％
〈留年・休学せずに高校を卒業した者の割合〉
Aグループ 66％
Bグループ 45％
〈40歳時点で月給が2千ドル以上の者の割合〉
Aグループ 29％
Bグループ 7％
〈40歳時点での持ち家率〉
Aグループ 36％
Bグループ 13％

この調査は日本とは事情が異なるアメリカで実施され、かつ１９６０年代の調査ですから、そのまま現代の日本に当てはまるとは断言できません。

しかし近年、日本の大学の研究者からも、幼児教育で非認知能力を養うことが、その後の人生で大いに有利に働くことを示す事例調査が数多く発表されています。

私は福島大学に出向しているときに、木幡浩・福島市長からこんな依頼を受けました。

「待機児童問題はほぼ克服でき、〝量〟の問題はなんとかなった。次は〝質〟を高めて子育て世代の移住を促進したいから、『子育てするなら福島市』というコンセプトで、特色あるプロジェクトを幼稚園・保育所でやりたい。ぜひ検討をお願いしたい」

その趣旨には賛同でき、福島市の「特色ある幼児教育・保育プロジェクト検討会」の座長を務めることになりました。

幼稚園・保育園からの声を集めつつ、並行して保護者からもニーズを聞き取り、非認知能力の向上をテーマにして、幼稚園、保育園、認定こども園などで、自然体験や食育、アート、スポーツ、英会話、ＩＴ関連など、先進的なカリキュラムをたくさん盛り込むことができました。

実現に漕ぎつけられたのは、福島市が全面協力してくれ、補助金を出してくれたことが大きいと思っています。

各プロジェクトは取り組みが始まったばかりですので、成果に対する検証はこれからですが、子どもたちが自分の好きなことに熱中し、また、子育て世代も自分の子どもがすくすくと成長している様子にワクワクしている姿が目に浮かびます。楽しく学べる幼児教育の場を多数用意し、非認知能力をたっぷり培ってもらい、それがその後の人生の礎となる。そんな幼児教育の実現がいわき市でも必要です。

人生を変えた恩師との出会い――Column②

父はトラックの運転手をしていて、母は主婦というごく普通の家庭で育ち、父母はさほど教育に熱心ではありませんでした。

私自身も勉強は好きなほうではなく、むしろ小学校の算数などは苦手の部類でした。算数の時間になると気持ちが塞ぎ、窓の外をぼうっと眺めていた記憶があります。

身体も小さく、同学年で一番背は低かったと思います。とりたてて取り柄のない、教室の隅にいる目立たない子。当時の私はそんな印象でしょうか。

スポーツも得意というわけではなかったのですが、小学校3年生のきに剣道を始めました。近所の子どもたちが剣道教室に通っていて、防具をつけて竹刀を振る姿が格好いいと思ったからです。文武両道を目指すなどという高尚な理由ではありませんでした。

とはいえ、防具をつけていると夏は暑くて汗がだらだらと流れ、冬は寒くてたまりません。親に辞めたいというと、自分からいい出したことだから、簡単にあきらめるなと叱られる始末。いやいや稽古を続けました。

技術の習得が未熟な小学生の剣道では、体格が勝敗を決します。背の高い子が竹刀を振り下ろしてくると、私のような小柄の子どもではとても太刀打ちできません。正式な試合はおろか、練習試合でも一度も勝てませんでした。ますます練習に身が入らなくなり、それも辞めたいと思った理由の一つです。

小学5年生のときでした。ある日、家の前で素振りをしていると、近所のおじさんに声をかけられました。そんな素振りじゃ絶対に強くはなれない。基礎からちゃんと教えてやるから、一度遊びにきなさい——。

後で知ることになるのですが、根本邦男さんという剣道の世界では有名な方でした。たまたま近所に住んでいて、今から考えると私にとって幸運な出会いとなったのです。

根本先生から基礎基本をみっちり教えられ、体格で劣る私が勝つためのテクニックも伝授されました。

たとえば自分から隙を見せ、それによって相手に動きを起こさせることで相手に隙をつくらせて、その瞬間に小さい身体を利用して小手を取るといった戦法です。

そんな技を体得していくことで、5年生の終わりの小規模な大会の一回戦で、ついに一勝を挙げることができました。それだけでも人生初のことなのに、さらに二回戦、三回戦も勝ち上がり、なんと優勝を手にしてしまったのです。

剣道をやっていた小学生は40名ほどいましたが、それまで私が最も弱く、それが勝ったのですから、みんなもびっくり。一番驚いたのは私自身でした。

この優勝はものすごく自信になりました。いわば成功体験というやつですね。それまではどうせ勝てないからと後ろ向きの姿勢で試合に臨んでいたのですが、これ以降は、どうやったら勝てるかを考えてから出場するようになりました。そして、最終的に市全体の大会でも勝てるようになったのです。

基礎基本を大事にすること。勝つためのノウハウやパターンを学ぶ努力を続けていけば、決して不可能はない。それを知ったことが最大の収穫でした。

根本先生は武道家らしく文武両道を理念とする方で、勉強にも力を入れるよう指導されました。それで勉強に取り組むと、剣道で学んだことが通じるという実感がもてたのです。どんな教科も基礎基本を大事にしながら、攻略するためのノウハウ、パターンを見つけてツボさえ押さえれば、必ず結果がついてくる――。

そう理解して取り組むと、成績がめきめき伸びていきました。そうなると勉強が楽しくなり、いっそう自主的に勉強に臨むようになります。苦手だった算数も、いつしか得意科目に変わっていました。

勉強嫌いを克服できただけでなく、予想外の好成績を収められるようになっていき、それにともない自己肯定感も上がり、性格が変わったと周囲からいわれました。

私の場合、よい指導者にめぐり合えたのがラッキーでした。ですから大人たちは、どうしたらこの子が伸びるか。そんな視点で接してほしいと思います。

ほんのちょっとした気づきさえ与えれば、子どもはあっさり大化けするもの。私の成功体験がその証しといえます。それは子どもに限りません。大人でも人は簡単に変われる。これは私の信念にもなっています。

さて、これは余談ですが、市という行政単位も、ちょっとしたことで変われるのではないでしょうか。実際、いわきは姿を変化させて今に至っています。

遠洋漁業から石炭産業、そして現在の工業都市へ。今後求められているのは、先端産業の都市への変貌だと第一章で語りましたが、それもちょっとしたことで変身していけるのではないでしょうか。私もアイディアを出しますが、みなさんもぜひ考えてみてください。

教師の道からの進路変更――Column ③

私は高校時代に教師になると決めました。なぜ教師の道に進もうとしたかといえば、私の中学時代には全国で中学生の自殺が横行していたからです。これが私には大変ショックで、こうした悲しいことを繰り返さないためには、先生になってそれを止めよう――。

今から振り返れば気恥ずかしい正義感ですが、そのころの私は真剣にそんなことを考え、使命感に燃えていたのです。

中学校の卒業式に暴走族が乱入するなど、当時のいわき市は学校が荒れていた時期でした。いわきの子どもの学力は全国で最低水準にいるなどと話す先生もいて、これもなんとかしなければと思っていました。

成績を上がることができて成長したという成功体験を味わえたので、それを先生になって生徒たちにお裾分けし、悲惨ないわきの学力事情を打開したい。ある種、郷土愛の発露だったのかもしれませんね。

ちなみに、いわき市全国最下位説は実は何の根拠もない誤りでした。どうしてそんなことをいって生徒たちの尻を叩いたのか。ずいぶん偏った指導法だったというしかありません。でも、自分を含めた周囲も、この言葉をすっかり信じ込んでいました。

「だからいわきは駄目なのだ」という、ネガティブな気分をいたずらに煽って刷り込んだのは、生徒たちにとって決していいことではなかったはずです。

ふるさと否定につながるだけでなく、こうした圧迫型の指導は生徒の自主性の涵養を阻害し、現在は指導法として否定されています。

子どもたちを伸ばすには教師の指導力が大切であり、その指導力をアップさせるノウハウを体得できる学部はどこにあるか。高校生の私はそれを受験雑誌などで調べました。すると、東北大学に教育学を学べる学部があることを知ったのです。

東北大の教育学部では、心理学や哲学と指導法を融合させ、教師の子どもへの接し方をトータルな学問として学べるとあって、私には魅力的に映りました。そこで東北大の教育学部にターゲットを絞り込んで受験勉強に励みました。

幸いなことに入学でき、教育学部では中学・高等学校の英語の教師を目指し、自分でいうのもなんですが、かなり頑張って勉強しました。お陰で中学・高校英語の教員免許を取得し、福島県の教員採用試験を受験して合格もいただきました。

教育学部では、教育を管轄する文部省（現・文部科学省）や、教育委員会が果たす役割についても勉強しました。

また、教育行政が教員研修を通じて教師たちの指導力アップに努め、大蔵省（現・財務省）や知事部局、市長部局などと交渉して、学びの環境をよくするための予算を取ったりしていることも知りました。そんな勉強を通じて、私は教育行政に興味を覚えるようになったのです。

教師になっていわき市内の学校や教室で教育に専念するのも素晴らしいことではありますが、教育行政の一翼を担い、文部省や教育委員会の立場から教育の現場をよくしていくこともやりがいのある仕事ではないか。しだいにそう考えるようになっていきました。

文部省に入れば、最先端の教育の動きを知り、教室で頑張る先生たちに最新の政策を伝えて後方から支援もできる。そんな思いが芽生えたのが大学3年生のころでした。

国家公務員試験を受けて文部省にキャリアとして採用されることになりました。すでに福島県から教員採用の内定通知を受け取っていましたので、正直どちらを選ぶか迷いましたが、国からいわき市全体の教育をよくしていきたいという思いが勝り、結局、入省を優先させました。

役人時代、いわき市役所の方々とのつながりを大切にしながら、市教育委員会に国の教育行政の中身について伝え、市が国に相談を持ち込むようなときには、仲介役を買って出ました。ふるさとへの貢献ができればとの思いからです。

教育行政は決して華々しい仕事ではありません。むしろ裏方であり黒子といえます。それでも国の未来を形づくる大事な仕事とあって、自分なりに全力で取り組んだつもりです。振り返れば、充実した25年間の役人人生だったと考えています。

第三章　住みやすい街づくりへの提言

日々、誰もが安心して生活できる
「満足度日本一」のいわきを目指す

1　災害対応の先進モデル都市宣言

私たちいわき市民は、東日本大震災で地震、津波、原発事故、さらに原発事故後の風評被害に遭い、四重苦の辛酸を嘗めました。令和元年東日本台風（台風19号）の被災も忘れることはできません。

これだけ想定外なるものに打ちのめされてきた私たちですから、防災、減災に対する意識を高く持ち、危機管理対応のモデル都市を目指して、内外に有益な情報を発信していく役目を担うべきではないでしょうか。

ところが、他の地域に比べると、むしろいわきの対応の遅れが目につきます。温暖化による気候変動で自然災害は以前より頻度を増して発生し、規模も拡大しています。

災害、減災対応に真剣に向き合うための改革は待ったなしの状態で、地域振興に取り組む身としては、いわきの遅れは非常に気なるところです。

防災に優れた対応をしている自治体を見ていると、キーワードになるのは市民一丸となって支え合う「共助」でした。先進的な取り組みを実践する、ふたつの都市の事例を紹介していきましょう。

とかくいわき市と比較されることの多い同じ福島県内の郡山市ですが、台風19号による被災を契機に、「気候変動対応都市」への転換を掲げました。

そして、政策転換の一環として、市が各地区に呼びかけて市民集会を開き、市役所職員を派遣して住民と共同で防災に関するワークショップを催したのです。

その際、住民から危機管理マップが「浸水氾濫マップ」「入水マップ」「垂直避難マップ」と三つに分かれていてわかりにくいとの意見が出て、地区ごとに現状を反映させた形で、利用しやすい1枚の地図にまとめ上げました。

地図策定の過程で「いざとなれば、近所のお年寄りの○○さんを私が避難させる」とか、「このビルの垂直避難場所は、地域住民みんなの共有にしよう」といった建設的な意見が住民の間から出て、大変有益だったそうです。そんな共助意識の高まりは、きっと郡山にとって大きな財産になるはずです。

岡山県倉敷市は、2018年の中国地方豪雨で死者51人と甚大な被害を記録してしまいました。私も岡山に出向した経験があり、そのご縁で災害支援にかかわりました。

倉敷市では被災の教訓から「逃げ遅れゼロ」という目標を打ち出し、地域の住民と行政サイドが公民館や集会場で頻繁にミーティングを重ねています。

ここ倉敷の取り組みとして面白いのは、スマートフォンの活用です。高齢者もガラケーからスマホに切り替えてもらい、みんながLINEでつながって、何段階の警報が出たなどの防災情報を共有できる仕組みを整えました。

それだけでなく、スマホ上で防災訓練を実施して、若者たちが高齢者や障害をもつ人の担当を決め、避難させるシミュレーションを本番さながらに定期的にやっているのです。これには感心させられました。

台風19号では高齢者や障害を持つ、いわゆる「要支援者」が逃げ遅れるケースが頻発しました。その意味でも倉敷の取り組みは注目に値します。

実は災害対策基本法では、要支援者をあらかじめ名簿に記載して、「いつ、誰が、どのように要支援者を助けるべきか」を事前に決めておくことが義務化されています。

ところが、いわき市のみならず福島県全体においては、要支援者の4割程度しか名簿登録ができていないとの残念な調査データがあります。

市職員が地域住民の力を借りて名簿を作成し、誰が要支援者を避難させるかを話し合っておかないと、次の災害には間に合いません。早急に改善すべきポイントでしょう。

なお、郡山市にせよ倉敷市にせよ、前述したように地域コミュニティを有効活用し、共助に力点を置いているのが大きな特色といえます。

小泉改革以降、行政スタッフの人員削減が続きました。行政が何もかもこなすのは人材リソースの面からいっても困難な状況にあり、共助を実現するためにも、地域のなかでスマホを用いたイントラネットを構築するなどが重要になっています。

いわき市も今後はコミュニティの活性化に努め、共助を重視した災害対策をもっと取り入れていくべきでしょう。

いわきには「防災士」という公的資格をもつ方が718人(2021年現在)もいます。これは結構な人数で、この方々の力をどう引き出し、災害、減災対策で力を発揮してもらえるかはとても大切なことだと思います。

防災士は、平時には災害に備えた対策を練り、防災に関する講演や避難所の設定、想定訓練のサポートなどをします。災害時には避難所の運営や、被災者支援活動でリーダー役を担ってもらうことになっています。

ところが、現在では、まだ存分に力を奮っていただいている状況にはありません。いわきの宝なのに非常にもったいない話です。

共助の意識を高めるうえでも、これからは防災士の方々に地域コミュニティのコーディネーターになってもらい、郡山や倉敷のようなムーブメントを起こしてもらいたいと考えています。防災士の組織化はそれほど難しいことではないはずです。

行政が音頭をとる防災、減災対策には、どうしても限界があります。行政がいくら立派な防災計画を立てたとしても、市民の理解がなければ絵に描いた餅になりかねません。

防災士の方々の力をお借りしながら、市民参加型の対策を構築していくことが、いわきの未来にとっても望むべき方向だといえるのです。

平時にしっかり対策ができていれば、必ずやってくる次の災害を乗り越えることができます。

災害では想定外のことが起きますが、そのためにも想定内のことだけは準備万端にしておかなくてはなりません。郡山や倉敷では平時から災害への備えを議論しています。両市の動きから学ぶべきことはたくさんあります。

2　復興を助ける災害時の支援体制

２０１８年、文部科学省の職員として、西日本豪雨の復興支援のために、被災地となった岡山に入りました。

ちょうど夏休みの期間で、避難所には小中学生が多数いたのですが、見ていると毎日5～6時間も一人でスマホの画面を眺め、暇を弄ぶ姿ばかりが目につきました。

子どもたちには学習や運動をさせるだけでなく、友だちどうしの交流が不可欠です。でも、その指導をする市職員が避難所におらず、ケアは行き届いていませんでした。

市職員は被災した施設の復旧と再開の準備に追われていて、避難所の子どものことまで手がまわらなかったからです。そもそも市町村の職員は、大災害を想定した人員体制にはなっていません。

私はＮＰＯや民間の教育関係者に声をかけ、「プラットフォーム」をつくって、子どもたちが求めるものと、それを提供できる人材を結ぶ調整をしました。

要請に応えて、地元や他県から学習指導や遊びの相手をしてくれる外部の支援ボランティアたちが駆けつけてくれ、さらにそれぞれの避難所に分散していたクラスメイトの交流の場を設けてくれたりもしたのです。子どもたちは大変喜んでくれました。

さて、台風19号の直撃を受けたいわき市では、罹災証明書の発行の遅れや国の補助金制度を説明できる職員の不足、ごみ処理の遅れなど多くの課題が指摘されました。

とはいえ、職員の数を増やすのは現実的ではありません。

岡山で私がやったように、被災地と支援者をつなぐプラットフォームを創設して、外部の力を効率的に借りるのはどうでしょうか。

そのためには行政サイドが被災地で求められる業務の種類や業務量をあらかじめ細かくまとめておき、プラットフォーム上でその仕事をこなせる全国の支援者とマッチングさせ、すぐに協力をお願いできる体制を事前に構築しておく――。

ボランティアの募集、他の自治体からの職員派遣、補助金制度の説明、ごみ処理関連など、分野ごとにプラットフォームを設けるのも手かもしれません。迅速な復興支援のためには、外部の力に頼れるプラットフォームという制度の確立をお勧めします。

3　災害に備えた啓発教育の重要性

東日本大震災で3000人の児童・生徒が助かった、「釜石の奇跡」はあまりにも有名な話です。惨状のなかで一筋の光明を見る思いがしました。

釜石市では東京大学特任教授の片田敏孝氏が8年間にわたり、地道に防災教育に取り組まれてきました。その成果が発揮され、子どもたちは自主避難で難を逃れたのです。

そのニュースに接し、学校教育のなかに防災をきちんと位置づけて教える重要性を再確認した次第です。

たとえば、釜石市では理科で三陸沖の地形を学び、地震発生のメカニズムにもふれました。体育では津波襲来を想定して着衣水泳の訓練をしたり、社会科では地域の過去の災害で亡くなられた方々の鎮魂の石碑をめぐったりする取り組みをしてきました。

こうして防災意識を子どもたちに根付かせることで、それが大人たちにも波及していき、釜石の防災意識は高まったとされています。

大震災からあっという間に10年経ちました。改めてこの節目に教育の力を見直して、釜石の奇跡の教訓を生かして児童生徒を啓発していくことが、あの惨劇から私たちが学べることだと肝に銘じて日々、過ごしています。

4　女性の活躍がいわきを元気にする

いわきにはアクティブな女性がたくさんいて、長年活動する女性中心のＮＰＯがいくつも存在します。なかには30年以上も活躍し続ける組織もあって心強い限りです。

特に有名なのが、小名浜に本部を置くＮＰＯ法人「ザ・ピープル」（理事長：吉田恵美子さん）ですね。

東日本大震災の後、耕作放棄地になってしまった土地を有効に活用しようと、オーガニック・コットンを栽培して、ハンカチや人形をつくって販売しました。

災害ボランティアとしての活動も目覚ましく、台風19号のときには炊き出しや古着支給など、熱心に災害支援を実践されました。さらにフードバンクとして、生活困窮者や児童福祉施設に食品を提供し、海外の子どもたちに奨学金の提供もしています。

こうした多方面での活躍は全国的にも例がなく、ザ・ピープルはいわきが誇るＮＰＯ組織だといっても過言ではありません。この素晴らしい活躍をもっと多くの市民に知っていただきたいと思います。

こうしたＮＰＯだけではなく、私も会員になっている「いわき地域學會」にも多数の女性が参加して、いわき市の歴史や地理、地質、文化、産業など、幅広い領域の研究を活発に行っています。

　それぞれが専門性を生かして成果を発表し、自由な討論を通して研究を深める。女性たちの深い知性と元気さが会を盛況に導いてくれています。

　さて、いわきは台風19号で大変な被害を受け、物資が被災地に届かなくなり、平窪地区などは浸水による断水が重なって、非常に混乱をきたしました。

　そんなとき物資の確保の中心を担ったのが、地元の女性たちでした。SNSを駆使して全国に呼びかけ、届いた物資を効率的に配給していきました。

　いわきは保守的な土地柄だから、女性は大人しいというのはまったくあたっていません。むしろ相当にアクティブで、現状を打開できる強さをもっている。それが実感です。

　このいわきの女性たちの行動力と活力を、災害ボランティアとして結集できないか。そんなことを私は考えています。女性による災害支援組織の結成です。

　災害が起きたとき、いの一番に現場に駆けつけて支援する。いわきの女性軍団（失礼！）が登場すると、避難所で不安で泣いていた子どもたちがぱっと笑顔になり、人々は勇気づけられて避難所内に拍手が巻き起こる。それをテレビニュースが「いわきがきた！」と希望の鐘のように全国に報じる――。

　実に格好いいですよね。女性ボランティア構想を思いついたのは、いわきの女性たちにはそれだけのポテンシャルがあると確信したからです。

生理用品や肌着の支給など、被災地で女性目線の支援が欠かせなくなりました。もちろん男性にも頑張ってもらいますが、どうか女性軍団に活躍してもらい、いわきの名前を全国にとどろかせていただきたいものです。

東日本大震災では、全国のボランティアにいわきは支えられました。その恩返しの意味も込めて考えてみませんか。私も行政に働きかけ、活動のお手伝いをしたいと考えています。おそろいの衣装のデザインなどは私にやらせてください。女性ボランティア軍団のことを思うと、心がうきうきしてくるのは私だけでしょうか。

そんな災害ボランティアに参加したいと手を挙げる女性たちが、いわきにはいっぱいいると思います。行政には、女性たちのやる気を受け止め、結集して行動力を存分に発揮できるシステムづくりと、行政からの支援など、そのための環境整備をお願いするところです。

5　医師不足はいわきのアキレス腱

みなさんご存じでしょうか。いわき市は女性の心筋梗塞の死亡率が全国ワーストだということを。東京大学公共政策大学院の調査では、男性の心筋梗塞、男女の脳梗塞は全国335の医療圏（医療法によって定められた病床整備のための単位）中、なんと300番台とのことです。下から数えたほうが早く、決して感心できる数字ではありません。

そしてこのコロナ禍、現在、いわき医療センターには、呼吸器内科の医師は一人もいないのです。患者を診てくれる先生がゼロ。これは恐ろしいことです。

また、難病疾病患者の市民の多くが、わざわざいわき市以外の病院に出向いて治療を受けているという話をあちらこちらで耳にします。

救急搬送にかかる時間も問題で、119番に電話してから病院に搬送される時間は、全国平均が39分なのに、いわき市は52分（消防庁調べ）かかっています。いわき市民500人を対象にした国際女性教育振興会の調査では、救急車を利用した市民のうち、約67％もの方が搬送まで1時間以上かかったと回答しています。

医療施設への信頼度の低さに加え、救急搬送に時間がかかる点――。こうした深刻な状況の最大の要因は医師不足にありました。

厚生労働省が定めた医師偏在指数（必要な医師数の算式）によれば、いわき市では116人の医師が足りないことになっていて、この不足を埋めないと、十分な医療体制は組めないというのが実情です。

実は心筋梗塞や脳梗塞の死亡者が多いのも、医師不足と無関係ではありません。この二つの疾病は、発症後3時間以内に血管のつまりを取り除くカテーテル手術ができるかどうかが重要となり、それが生死を分け、また後遺症の有無にも影響を及ぼします。

医者が足りない状況では急性疾患への手当てが困難になり、女性の心筋梗塞では結果として全国ワーストを記録してしまった。私たちのいわき市が置かれている厳しい現実を端的に表した数値ですね。

そもそも福島県自体が、医師数では全国46番目という「超・医師不足県」で、問題はいわき市だけではなかったのです。県も躍起になっているのですが、解消する道のりは見えてきません。

では、どうすればこの医師不足を解消できるのでしょうか。

私は5年ほど前、文部科学省から出向して岡山県に赴任していましたが、そこで見聞きした岡山県の取り組みにヒントがあります。

同県も以前は医師不足に悩まされ、真庭市・鏡野町の県北地区では86名が足りませんでした。それを県は10年かけて解決していったのです。

やり方はこうでした――。県・関係市町の医療関係担当部局と教育委員会が連携し、将来、医師となって地域を支えてくれそうな子どもを、小中学校の時代に見つけて計画的に育てていくという、実に息の長い取り組みを続けました。

たとえば、現場で働く医師との懇談や医療現場の見学などを通じて、仕事に対するやりがいを感じてもらう啓発プログラムを実施し、さらに勉強面でもサポートをして、確実に医師として帰ってくるという志ある子どもには奨学金を支給しました。

その結果、地元の岡山大学医学部を卒業した若い医師たちが、毎年8～9名、一生県北の病院で働くという強い気持ちで、着実に就職してくれるようになりました。それが10年間続き、86名という医師不足を見事に克服することができたというわけです。

なお、奨学金の件ですが、全国どこでも緊急医師確保奨学金の制度が用意されています。医師になって地元の病院に就職し、そこに一定期間勤務すれば、奨学金の返済が免除されるというもので、いわき市もこの制度を整備し毎年6名に発給しています。

ただし、定められた就業義務期間を終えると、ほとんどの医師が都市圏に流れてしまう傾向がありました。それをくい止めるための方策が、この岡山方式といえます。

いわきもこの岡山方式を見ならうべきでしょう。子どものころに医療現場で体験学習をさせ、もどってくる意思のある子には資金面で支援していく。

医師不足問題は一朝一夕には打開できません。郷土愛を煽ったり、義務感を強調したりして精神論を振りかざしても、かえって問題解決は遠退きます。地元で働く意思のある人を、じっくり時間をかけて育てるしか手立てはないのです。

また、医師不足解消の計画を練る際には、呼吸器科なら何人、産婦人科なら何人と、診療科ごとに足りない人数を明確化し、それを数値目標にして進めることが重要です。さらに、その数値をもとに5年後、10年後の拡充目標を立て、毎年、達成度に検証を加えながら計画修正を含めて遂行させていきます。

毎年の目標の達成を図るためにも、東北大学や福島県立医科大学にお願いして、不足分の医師を確保する手立てを取っておくことも、事前に想定しておくべきでしょう。

厚生労働省は２０２３年までに医師不足を解消するプランを立てていますが、私は福島県の計画にいわき市の状況がどこまで反映されているかを心配しています。そのあたりの確認も、ぜひ行政サイドにはお願いしたいところです。

私が10年ほど前に出向していた秋田県の例もご紹介しましょう。

県の北東部にある鹿角市では、以前、産婦人科医や精神科医がゼロになる事態に陥りました。ことに産婦人科医がいなくなったことで、「鹿角では出産ができない」という声が広がり始めました。

出産が無理となれば、若いカップルは鹿角を出てしまい、ひいては市全体が人口減少で沈んでしまう。これに危機感を抱いた市民たちが立ち上がったのです。

通常、こうした市民グループは、大学病院や市役所、県庁に対する圧力団体になりがちです。声を大にして圧力をかければ、行政側がなんとかしてくれるという図式ですね。

ところが、彼らは違いました。医師不足の要因を探るため、医師、看護師、病院事務職員、県職員、市職員などを集めて勉強会を重ね、打開の道を見つけようとしたのです。

そこで生まれたアイディアがチラシ作戦でした。鹿角の魅力である自然の豊かさと生活しやすさに加え、深刻な医師不足をアピールするチラシを何10万枚も作成し、秋田県内はもちろん、全国の道の駅で配布したのです。

やってみるものですね。メッセージを受け取った人たちから、「秋田県にはゆかりはないが、週に1回程度ならいける」とか、「秋田県出身で、週に2回ほどなら鹿角に通ってもいい」との返答が多数寄せられ、結果的に鹿角の医療危機を救うことができました。いわき市も、とにかく何でもやってみましょう。

いわき市生まれの医師は数多くいます。しかし首都圏や、県内では郡山市や福島市の病院に勤務している医師が少なくないのが現状です。

これらの方々に呼びかけて、ふるさとの深刻な医療状況を説明し、月に数日でもいいから来院してもらう。そんな先生たちを集めれば、それなりに大きな力にはなります。まずは、そのあたりから手をつけるのがいいのではないでしょうか。

加えて、医師たちを他市、他県から呼び寄せるには、彼らの子どもたちが学ぶ教育環境の充実が欠かせません。

厚生労働省の調査でも、首都圏の医師が地域医療に関心があったとしても、その地域の教育水準に課題がある判断すると、赴任に二の足を踏むという結果が出ています。第二章でも述べたような教育の充実が、医師不足解消に向けても大いに有効なのです。

6 食文化を前面に出して観光を振興

他地域の人には意外に知られていませんが、いわき市は仙台市に次ぐ東北第二の観光都市で、スパリゾート・ハワイアンズやいわき湯本温泉がたくさんの観光客を迎えています。

観光産業は町の活性化には欠かせず、もっと盛んにしていきたいと思います。いわきにとって参考になる動きを見ていきましょう。

世界遺産を登録するユネスコ（国連教育科学文化機構）に、「創造都市ネットワーク」という枠組みがあります。これは文学、映画、音楽、工芸、デザイン、メディアアート、食の7分野の文化のなかから、世界でも特色ある都市を認定していくものです。

ユネスコは認定した都市間の連携を強め、情報交換の場を設けるなどして文化発信を後押しし、都市側は観光資源としてアピールするという仕組みです。私は15年ほど前、パリにあるユネスコ本部で、この認定の制度設計に携わりました。

すでに世界で246都市が登録され、日本では鶴岡市（山形県）、金沢市（石川県）ほか8都市がユネスコからこの認定を受けています。

我がいわき市も、創造都市ネットワークへの応募を検討するべきでしょう。観光の新しい目玉になるとともに、市民の誇りを喚起することにもつながりますから。

特筆すべき事例として、鶴岡市の取り組みをお話しします。鶴岡には修験道の出羽三山のうち羽黒山と湯殿山があり、歴史的に参詣客の往来で栄えた町でした。

しかし近年、若者の流出や少子化による人口減少が進み、衰退に拍車がかかっています。その結果、出羽三山由来とされる、伝統的食文化である精進料理を受け継ぐ人が減りました。そこで市を挙げてユネスコに申請し、２０１４年に登録されたというわけです。

ところで、鶴岡の精進料理の目玉素材にダダチャ豆があります。この豆は江戸時代からこの地で栽培され、他の豆と比べて甘味やコクがあり、鶴岡周辺でしか採れない特産品です。また、リン酸を多く含むため、健康食材としても評価も高かったのですが、残念ながらダダチャ豆も人口減少で栽培する農家が減り、幻の食材になりかけていました。

ユネスコの認定を機に、ＮＰＯや大学生たちがふるさとの食文化を内外に発信しようと立ち上がりました。そして荒れ果てていたダダチャ豆の畑を開墾し、復活に取り組んだのです。お陰で精進料理にダダチャ豆が安定的に用いることができるようになりました。

さらに、ダダチャ豆だけでなく、彼らは忘れ去られつつあった他の食材の栽培にも挑み、次々と再生させていきました。彼らは東京の高級和食店とも交渉し、メニューに鶴岡の食材を取り入れてもらうことにも成功しました。ＳＮＳでも精力的に情報発信し、全国からの注文も多いと聞きます。

そんな彼らの活動は国内に留まらず、同じくユネスコから認定を受けたイタリアの都市と食を通じて交流を深め、精進料理とイタリア料理をコラボしたメニューを考えたり、イタリアの食を扱う大学と共同でレシピの開発を進めたりもしました。

食文化は旅のキラーコンテンツです。観光名所が多い鶴岡市ですが、食文化というテーマを打ち出すことで、新しい観光客層の開拓にも成功したのです。

震災後も続く風評被害の壁を乗り越えていくためには、いわき市もユネスコの創造都市ネットワーク認定の獲得を目指したいものです。

いわば観光振興と風評被害払拭の一石二鳥作戦というわけ。いわきは漁業が盛んな水産業の街でもありますから、魚食文化を主題にするのがいいでしょう。

昨年、いわきは「魚食の推進に関する条例」を制定し、毎月7日を「魚食の日」としました。ユネスコの認定を得られたら、毎月7日に世界の水産都市の人々とインターネットでつながり、魚料理の魅力を共同で発信し合い、ときには実際に人も行き来して、互いの水産品を食べ比べしたり、新しい料理を協力し合って創作したりするのもいいですね。

認定を得るためには水産業だけでなく、飲食業界、旅館業ほかの観光業界が緊密に連携し、一丸となってプロジェクトを展開していくことが重要です。新しいツーリズムを創設するという意気込みで、みんなで推し進めていきたいですね。

ちなみに、風評被害対策としては、農業も同じように国内や世界の人々に向けてSNSで発信し、地元の食材を使った新メニューを国内外にピーアールしていくなど、ブランド化の努力が克服する道だと考えます。収穫したものを第一次産品として流通させるだけでは、この苦境から脱することは難しいでしょう。

食の風評被害のマイナス値をゼロにするだけでなく、他地域の食材をしのぐ魅力をプラス値として付加していき、以前よりも成長した姿になることが真の復興といえます。

7　教育旅行の拡大で訪問者を増やす

耳慣れない言葉かもしれませんが、心理学に「災害ユートピア」という概念があります。米国の女性作家、レベッカ・ソルニットが提唱したものです。

大災害が起きた社会では、人々が復興という共通目的でつながって、善意や理想を追求して交流する。それによって前例のない素晴らしい社会が生まれることがあるとして、そんな状況を指してソルニットは災害ユートピアと呼んだのです。

２００５年に、米国南東部のルイジアナ州やミシシッピ州を襲って猛威を振るった、ハリケーン・カトリーナの後に注目された言葉でした。

全国の子どもたちがいわきを訪れる教育旅行も、災害ユートピア的な活動なのかもしれません。被災地の復興の歩みを見つめ、いわきの子どもとこれからの未来を話し合います。

現在、コロナ禍で一時的に実施数は減少していますが、２０１８年にはいわきに８６８校、３万３１６５人の児童生徒が教育旅行で訪問しました。

内容としては、エネルギーをテーマにして石炭化石館、火力発電所、廃炉資料館、いわき震災伝承みらい館を見学し、いわきの子どもたちと交流行事を実施するという流れです。

他県から教育旅行でやってきた子どもが、帰宅してから保護者にいわきでの体験を伝えたことが契機になり、保護者が自分の会社に働きかけて、その企業の研修旅行先にいわきを選んだという事例もあります。

教育旅行をもっと盛んにするとともに、全国から訪れる子どもたちに対し、その家族も含めたリピーターを掘り起こすような発信も、これからは必要なのかもしれませんね。

8　観光ボランティアガイドを充実

史跡や美術館、城郭などで、無料ないし、ごくごく廉価でくわしい説明を受けることができる。まだまだ一般的ではありませんが、観光ボランティアガイドを利用する旅が徐々に増えています。今後、普及していくことは間違いありません。

関ケ原合戦の古戦場がある岐阜県の関ケ原町では、ボランティアガイドが東西両軍の布陣や激戦地などを現地で案内してくれ、すでに観光の目玉に成長しています。

古戦場、遺跡、町歩きから地域の暮らし、郷土料理まで……。ガイドが対象にするジャンルは幅広く、全国で4000を超えるツアーメニューが用意されています。

ところが、いわき市は数多くの観光資源を有するのに、他の都市と比べると観光ボランティアガイドの活躍がそれほど目立ちません。

ガイドが訪れた客にストーリー性をもたせた解説していけば、理解は深まって対象への愛着も増します。通説とは異なる、まったく別の視点を提供することも可能でしょう。

たとえば戊辰戦争では、東北地方で最初の戦いがいわきで繰り広げられました。押し寄せる新政府軍に対し、磐城平藩の藩兵は籠城作戦で臨みました。

最近、磐城平城跡から本丸遺構が発見され、そこから新政府軍が放った大砲の不発弾が見つかっています。そんな生々しい戦闘の模様を、ガイドから聞いてみたいものです。

また、勿来の関について詠まれた優雅な和歌の話。さらに四倉の片寄平蔵が発見した石炭が、明治から昭和までの日本の産業を支えたことなどについて、ガイドの方から専門的なレクチャーを受けてみたいと思っています。

観光ボランティアガイドの利点として、互いにフレンドリーな関係が築きやすいことから、客が訪れた土地のファンになり、リピーターになってくれる確率が高いことも挙げられます。そんな縁で移住を決めた人もいるようです。

いわきの魅力を外部に伝え、観光客を増加させるためにも観光ボランティアガイド活動の活発化を願うばかりです。

9　いわきを映画の街にして観光促進

いわき市を映画の街にできないか。そんなことを考えています。

年配の方ならご記憶でしょう。1957年には木下恵介監督、高峰秀子・佐田啓二主演で、いわき市平の塩屋埼灯台を舞台にした『喜びも悲しみも幾年月』（松竹）が公開され、大ヒットを記録しました。その後、映画を観た多数のファンが塩屋埼灯台を訪れ、今ではいわきを代表する観光名所のひとつになっています。

そして、あの『フラガール』（シネカノン制作・配給）の公開は2006年でした。李相日監督で松雪泰子・蒼井優主演。常磐ハワイアンセンター（現・スパリゾート・ハワイアンズ）の誕生から成功までを描きました。

作品は大評判となり、第30回日本アカデミー賞最優秀作品賞ほか多数の賞に輝いています。いわき市民も、この映画で郷土の歴史を知ったという方も結構いました。もちろん、映画公開によって観光客が増加したことはいうまでもありません。

最近では、2016年公開の『超高速！　参勤交代リターンズ』（松竹　監督：本木克英　主演：佐々木蔵之介）が、そもそもの物語設定がいわきにあった湯長谷藩とあって、いわき市暮らしの伝承郷でロケが行われました。

映画の力は絶大ですね。今風にいえば「聖地巡り」ということで、観光客も集められます。内容によっては海外からの来客も期待できるでしょう。さらにイメージアップにも貢献するとあって、もっともっといわきを舞台にした映画が生まれるといいですね。

いわきには映画やテレビドラマのロケーションを誘致する、「いわきフィルムコミッション協議会」（いわき観光まちづくりビューロー運営）という組織があって、盛んにロケ隊を呼び込んでいます。

東京から電車で約2時間と交通アクセスに優れ、いわきは海、山、川と豊かな自然にも恵まれています。全国トップクラスの日照も、ロケをするには打ってつけです。

つまり、映画の街になる条件はそろっているということ。市民あげていわきフィルムコミッションを応援し、わが街を舞台にした名作を次々生んでいこうではありませんか。

10　新しい祭りを若者たちとつくろう

いわきの未来を担う若者たちに、こんな提案をしたいのですがいかがでしょう。若者たちが中心になって、新しいタイプの祭りを創造してほしい——。

すでにいわきには、昭和の初期から続く伝統行事の「いわき七夕まつり」（毎年8月6・7・8日開催）が盛大に催されていますが、それとは別に、若者の感性にフィットしたダンサブルなイベントがあってもいいのではないかと思うのです。

参考になるひとつの例が福島市の「福島わらじまつり」です。福島市出身の音楽家、大友良英氏が中心になって従来の祭りを若者向きにリニューアルしました。

私も福島大学出向中に踊りの輪に加わったのですが、よそ者の私にも参加しやすく、手づくり感もあって、大変楽しかった思い出が残っています。

この祭りは若者たちが核となって運営し、企業や学校、地区ごとに実行委員会を立ち上げ盛り上げています。若者らしい感覚で、団体ごとにユニフォームとなる浴衣をデザインしている点も気に入っています。

福島市は19の行政区に分かれていますが、この祭りを通じて、市全体の一体感が醸成されている印象を受けました。

日本各地で催されているソーラン踊りも、若者が主体となって生まれた新しいタイプの祭りですね。かつて私が役人時代に赴任していた岡山でも、毎年夏、ソーラン踊りの一種とされる「うらじゃ」が開催されています。

「うらじゃ」の「うら」は温羅と書き、正体はこの地にいたと伝えられる鬼です。岡山市の古社吉備津神社に祀られ、桃太郎伝説はこの温羅退治がモチーフになったとされています。また、祭りの名称の「うらじゃ」とは「温羅だ!」という意味で、「私たちは鬼で、温羅の末裔だ」というニュアンスが込められているようです。

踊りは毎年8月第一土・日曜日に開かれる「おかやま桃太郎まつり」の一環として披露されますが、温羅化粧と呼ばれる鬼を思わせるメイクを各人が施し、チーム単位でそろえるコスチュームも大胆にして奇抜で、どこかコスプレ的な面白さを醸します。いかにも現在の若者らしいイベントといえるでしょう。

基本的にテーマ曲に合わせ、桃太郎が温羅を退治して、温羅の魂を天に還すところまでを踊りで表現するのですが、振り付けはグループで自由に考え、踊りというよりもダンスパフォーマンスに近いものがあります。

なお、テーマ曲はよくある民謡調ではなく、ロックテイストなのも若者に受け入れられている理由のようです。踊りの最中に入る「うらじゃ」のかけ声も、コンサート会場にいるような気分にさせてくれます。

当日は、岡山県各地からやってきた若者たちの熱気に市内全体が包まれます。その迫力に魅せられて、海外から訪れる見物客も少なくありません。このエネルギーの爆発を目にしたせいで、いわきでも若者主体の祭りがあってもいいのでは、と考えた次第です。

おかやま桃太郎まつりと一体化したのは2001年と比較的歴史は浅いのですが、今ではうらじゃは岡山の夏の風物詩と呼べるまでに成長してきました。

主催は「うらじゃ振興会」で、運営は完全に若者たちが担っています。逆に任されたからこそ若者たちが張り切り、ここまでの盛り上がりを見せているのでしょう。

「なにか面白そうだ」といういわきの若者の声が聞こえてきそうです。どんなスタイルにするかは若者たちが考え、「いわき七夕まつり」と連動させるかどうかも含め、すべて若者の判断に委ねたいと思います。

授業でダンスは必修科目になっていますから、今の若者たちは創作イベントが得意なのではないでしょうか。

とかく一体感が薄いといわれる土地柄だけに、いわきをひとつにするような強力なイベントを生み出していただきたいと願います。新感覚の祭りで、「いわきここにあり」を誇示できれば、我が街の未来はもっともっと明るくなります。

11　移住者がいわきの多様性を高める

移住の相談に乗るＮＰＯ法人「ふるさと回帰支援センター」（東京都）の調査では、移住を希望する県として、福島県は２０２０年のランキングで14位になっています。

同調査では、福島県は17年＝８位、18年＝10位、19年＝12位で、順位を年々下げているのが気になりますが、それなりに健闘している印象を受けます。

ちなみに、ランキング上位は長野県、山梨県、静岡県といったところで、この3県はランキングの上位を常に占める常連さんたちです。

手元に市区町村別のランキングがないので確かなことはいえませんが、福島県でもいわき市は移住先として注目度が高いので、東京圏では移住希望者の有力候補地の一つに挙げられているのではないかと想像しています。

ここで全国の移住希望者に、いわき市のピーアールをさせてください。

いわきでは「ＩＷＡＫＩふるさと誘致センター」が中心になり、移住促進に努めています。移住してきたカップルの妊娠から子育てまでを支援し、移住支援金や補助金を給付するなどの諸制度を整え、きめ細かなサポート体制で臨んでいます。お試し移住ができる「プチいわき暮らし応援プラン」も好評です。

そもそもいわき市は、夏は海風が入るので涼しく、冬は雪がほとんど降らずに気候は比較的温暖です。東京圏からの交通アクセスもよく、豊かな自然と相まって、移住先としては好条件に恵まれています。私もいったんいわきを出た人間だからわかるのですが、いわきは本当に生活がしやすい土地といえます。

東北だから雪深いといった、誤ったイメージさえ払拭できれば、山梨県北杜市や長野県松本市といった超人気の移住先と、充分に伍していける潜在力を秘めていると思います。

移住者に聞くと、移住者のコミュニティが確立している点が強みだそうです。このネットワークを大事に育てていけば、いわきに移住文化が花開くことでしょう。

市内南東部にある田人地区は、早くから移住者を受け入れてきました。ここには「貝泊コイコイ倶楽部」という支援組織があり、すでに70名以上が移り住んでいます。

古民家を改造した「ＨＩＴＯ－ＴＡＢＩ（ひとたび）」というカフェ＆レストランをつくり、元からの住民と移住者、首都圏の大学生、地域おこし協力隊とが連携して、地元の食材をふんだんに使った料理も提供しています。

太平洋に面し、観光客が訪れる塩屋埼灯台がある平地区豊間は、サーフィンが盛んな港町です。市内では比較的移住者が多い地区で、支援団体「ふるさと応援　家づくりの会」が移住相談に乗っています。

小名浜港の北東に位置する港町、中之作・折戸地区も移住者の勧誘に熱心で、NPO法人「中之作プロジェクト」が、空き家をリノベーションしたシェアハウス事業を展開中です。レンタルスペース「清航館」やカフェ「月見亭」も誕生させました。

ところで、政府は仕事をしながら休暇を過ごす「ワーケーション」を推奨していますが、そんな動きに応えたいと、市北東部にある久之浜町では地元有志が空き家を改装し、ワーケーション施設「アートスタジオ弁天」を開設しました。Wi‐Fi環境を整え、会議用設備があって便利です。

テレワーク（在宅勤務）もいっそうの広がりを見せることから、ワーケーション需要は今後、伸びることが期待されます。観光資源である温泉と組み合わせた施設など、今後いわきでは、この分野の前向きな取り組みが求められていくでしょう。

さて、移住では新旧住民の摩擦がときに浮上します。ある県の人気移住地では、移住者たちが自分たちだけのコミュニティを形成し、旧住民と極力顔を合わさないようにして暮らしているそうです。生活感覚のちがいが背景にあり、干渉されるのを嫌った結果でした。

旧住民は「郷に入れば郷に従え」の姿勢を崩さず、新住民は自分たちのライフスタイルを乱されたくない。これでは対立はなかなか解消しません。

移住は過疎化や人口減少への対策として語られがちですが、異なる価値観を持った人が入り交じることにより、地域の多様性が増すメリットを強調すべきです。

主張すべきことは主張し合って、そのなかから互いに合意点を見つけて生活していく。多様性によって地域が強靭になることをお忘れなく。

その意味でも、移住は数値目標を掲げて遂行するものではなく、じっくり時間をかけて、理解を深めたうえで進めていくのがいいかと思います。

第四章　いわき市の明日を考える

郷土の力をどう引き出すか！
様々なゲストを迎えての対話

1　いわきの未来を語る――「いわき」在住女性との対話

高梨由美（日本フルーツアートデザイナー協会代表）
大川幸子（日本ＦＰ協会福島支部支部長）
内田広之（東日本国際大学地域戦略研究所長）

家族の送迎で主婦の負担は大きい

内田　本日は、お集まりいただきありがとうございます。私は、東日本国際大学の地域振興戦略研究所長として、いわきをどう振興するか、研究しています。

これから、いわきの未来をどうしていくべきかを、特に、女性の目線でご意見を伺いたく、皆様にお集り頂きました。地域を盛り上げて、輝く「いわき」を創造していく青写真を皆さんと共有できればと思います。

高梨　私は、いま53歳です。30年ぶりに郷里・いわきに戻ってきましたが、現状は30年前よりいわき市内での公共交通手段は衰退してしまっていることを痛感します。

私が学生だった頃は、どこの家庭の子も自力できちんと学校に通えました。バスや電車を利用して。ところが、今はそれが困難です。私自身の移動においても、長く運転していなかった車を利用せざるを得ない状況になっています。これって、時間的にも相当に大きな負担です。

内田　そうした面は、日常生活に大きな支障が出てしまいますね。

高梨　ええ、そうなんです。

高梨由美さん

移動に大きな時間をとられてしまうことで、読書時間がとりにくくなったり、趣味に費やす時間もとれません。文化的なことが、できないのが悩みです。車を運転しての移動のために、時間のやりくりが非常に困難になっているのが、いわきに住む家庭女性の共通の悩みです。これは大きな問題だと思います。

内田　それは、お子さんにも大きな影響がありそうですね。

高梨　ええ、いわきの子どもが上京したときなど、ふだん公共交通手段を利用していませんから、バスや電車・地下鉄などに乗れないということになります。タクシーも無理でしょう。

工夫しだいで公共交通手段はできる

内田　たとえば富山県富山市などは、いわき市と同じくらいの人口と面積の都市です。富山市ではＬＲＴと呼ばれる路面電車を走らせています。約60億円ほどかけて整備しています。また、それぞれのエリアごとに採算がとれるようなミニバスの運行もして、市民の足を確保していますね。

いわきに、そうした事例が、そのまま当てはまるかどうかは別として、公共交通の専門家のご意見を伺いつつ市民の生の声を反映した交通政策が、いまのいわき市に必要です。

高梨　たしかに専門家も大事だと思います。同時に、全市的に働いている人が一定期間でいいのでマイカー通勤をやめてみるべきだと思います。そうしないと、いわきの公共交通手段の脆弱さが、本当の意味で理解できないでしょう。そのしわよせが、各家庭の主婦にきてしまっている現実がわからないと思います。

内田　通勤にマイカーを使うのが当たり前だということを見直すきっかけになりそうですね。

高梨　私が、小名浜から医療創生大学まで路線バスで試しに行こうと思ったら、なんと2時間かかったんです。時間帯によっては、目的地に最短ルートで行けるバスがないので大変です。小名浜から、いわき駅まで来て、さらに乗り換えて、計2時間です。車だったら15分で行くところをです。

私は、長く東京で暮らしたので、車なしの生活でした。いわきで、車なしの生活を半年してみましたが、それは大変でした。生活できないというのが実感ですね。

内田 私も、東日本国際大学の研究所に来るときは、仮に、車を利用しないとすれば、朝は、路線バスが利用できても、夕方などの帰りにはバスがないので、徒歩で1時間かけないと帰宅できないことになります。

高梨 それが、いわきの就労状況にも反映しています。ですから、学生が大型スーパーでアルバイトをするのに、親が送り迎えをするという本末転倒の事態が生じたりしているんです。

内田 また、ご高齢の方などが、身体能力の問題から、運転免許を返上しようとしても、日々の移動手段足がなくなるということになると生活に支障をきたしますね。

そこで主婦の出番というか、主婦の義務として家族の足代わりを担当せざるを得ないのが現状なのでしょうか。病院などに行けなくなってしまいますから。

いわき市内では、高齢ドライバーが多い気がします。家族も高齢なので車の運転はしてもらいたくないないと思っても、車を取り上げてしまうと自分で行動できる範囲が狭くなるばかりでなく、病院にも行けない、集まりにも参加できないということで、老人の生活の質が著しく下がってしまいます。

今ある資源を最大限に活用していきたい

内田　大川さんは、いわきの交通状況について、どうお感じですか。

大川　やはり、車社会ですので、いわきもそうなのでしょう。でも、今後は、トヨタ自動車なども未来に向けての都市づくりを模索しているようですね。そういう、テクノロジーを基盤にした未来都市の実現は、やはり時間がかかると思います。

いわきに必要なのは、いま私たちが手にしている素材、インフラでいかに市民が、高齢者も中高生も含めて、自力で現実的に動けるような公共交通手段を構築すべきだと思います。路線バスや電車に限界があれば、タクシーも含めて考えなければいけないでしょうね。

高梨　いわき市は人口が33万人ですね。ところがタクシー料金ですが、市内全域のタクシー料金体系が過疎地料金なんです。何が問題かというと、タクシー料金のベースが高いんです。

公共交通手段の整備といっても、建設費その他を考えると、すぐに路面電車とか大掛かりな路線バス整備というのは、現実的に無理でしょう。ですから、他地域より高額なタクシー料金の補助をなんらかのかたちで行って、タクシーでの移動をしても個人の出費がある程度おさえられるような現実的な方法を考えてほしいと思います。

最寄り駅（泉駅）から、私の実家までタクシーで４０００円です。いわきから東京までバスで

3000円台で行けるのにですよ。

内田 若者のNPOなどで、新しい様々な社会実験を模索しているなかに、例えば、公共交通空白地公共輸送という仕組みがあります。国交省が認可する仕組みなのですが、過疎地や公共交通手段が厳しい地域で、若者がNPOをつくって、年会費を数千円負担していただき、乗るたびに初乗り200円とか300円ぐらい支払って、若者がその地域の高齢者の方たちと日程調整をしたうえで、何人かまとめて通院や買い物の送迎をするという試みがあります。

大川幸子さん

高梨 そういうことをしようとする肝心の若者がいないんじゃないですか。

内田 市内の大学生のなかで、NPOに関心のある人や、高校生で地域おこしをしたいと考える生徒たちに地域おこしの一環として、車の運転ではなく、そういうシステム構築のプラン策定に参加してもらうのもいいと思います。その試みに、ドライバーを雇うというのも一案です。

大川 シルバー世代で、現役を退職されて、お元気な方で車の運転に自信があったり、働きたいという方には適切な仕事ですよね。私は、フリーで働いていて、ときどき道を歩いておられるお年寄りなどを、車にお載せしようかと思うことは、実際ありますから。

内田　三重県の熊野市などでは若者のＮＰＯが実際にやっています。高齢者と若者の世代間交流が自然な形で実現しています。

高梨　そういうＮＰＯとか有償ボランティアというのは重要だし、うまくいけば有力な方策だと思います。ただ、その前提として社会活動をすることが普通のことであり、当然なんだという意識の普及が必要だと思います。

内田　災害時のボランティアを高梨さんは、されたんですよね。

高梨　はい。一昨年の水害時にボランティア活動に参加しました。そのときに、残念ながら人によっては、ボランティアというものの本質を理解して参加しているのではない場合もあるように感じました。これは、いわき市民全体が意識を改革していかなければいけないんでしょうね。市当局も、そうした面でうまく市民を啓蒙してリードしていってほしいと思います。

高齢者を孤立化させない努力が大切

内田　子どもたちにも社会活動は当然なんだと周囲の大人が自発的に範を示して、日常的にボランティア精神を身につけてもらえるような努力も必要なんでしょうね。

大川さんも、災害公営住宅で、さまざまな取組みをなさっておられますよね。

大川　もっとも気を付けているのは、お一人お一人が孤立化しないように心を配ることが大事だと思っています。なるべく自室から出て、集会所に来ていただいて、皆さんと交流していただくようにしたいと思っています。

しかし、現実には、とくに男性の一人暮らしの方は、そういう場所にどうしても足が遠のいてしまうという傾向が顕著ですね。そんなこともあって、去年は「蕎麦打ち企画」も考えたりしました。なかなか一人暮らしの方を街にお誘いするというのも、交通手段を含めて、現実的にその人をお誘いする人が大事ですね。復興庁の考えとしては、公営住宅のなかでコミュニティーをつくってほしいとう趣旨で助成金なども用意されたのでしょう。でも、やはり移動ができる交通網の整備ができると、「ちょっと行ってみようか」となるでしょう。集会所に限定しなくても、外に出かけるきっかけになるでしょうね。

高梨　私は、いわきに戻る前は、東京都港区の芝浦アイランドという所に住んでいました。いわゆるタワーマンション群の街です。50階建てのビルが4棟あり住民が約1万人と言われています。

最寄り駅から徒歩でも近く、もちろんタクシーも初乗り420円内です。電車もJR・地下鉄・モノレールと非常に便利です。そのうえ、コミュニテイ・バスがマンション群に来るんです。高速道路の出入り口も非常に近くて、とにかく、老若男女を問わず移動の自由が保証されているんです。そういう状況だと、リタイア後のご高齢者は活動的で元気ですよ。

大川　そうなんですよね。高齢者の足を現実的に確保してあげることが、元気さを支えることになるんです。いわきでも、災害公営住宅を小さなバスで定期的に周回するようなシステムをつくって、市内の大型店舗施設や市役所・病院などに高齢者が一人で移動できという、そういう行政サービスがいわきの場合は必要かなと思います。今ある資源を活用して、ほんとうに必要なものを提供していくということが大事だと思います。

内田　福島大に勤務していたとき、災害公営住宅に学生がかなり入居していました。「いるだけ支援」という名称で、高齢者が多く住まっている公営住宅に、学生が住んでいるわけです。どうしても閉じこもりがちな高齢者が多いなかで、若者が同じ場所に住んでいて姿を見かけるだけで、高齢者も元気になるというのです。

大川　それは、よくわかります。廊下で会ったり、朝夕に学生さんが登下校する姿を見かけるだけでもご老人の心は開いていきますね。

内田　ただ、そういう学生のためにも移動のためのバスを用意しました。そのバスが何箇所かの災害公営住宅を回っていきます。すると、他の居住者も利用が可能になるわけです。

そこに住む学生には、「特に、何もしなくていいですよ」ということで住んでもらうのですが、集会所もありますので、休日などには学生も自然に寄ってきて住民とお茶を飲んだり話をしたりするようになります。

大川　災害公営住宅というのは、家族を失われたり、非常につらい思いを経験なさった方々も多いわけです。そして年齢を重ねるにつれて、健康のことも心配になりますし、経済的な不安もあるかもしれません。それが気持ちの落ち込みとなり、人と会いたくないという心理になりがちな面もあります。だからこそ、外に出ることって大事です。

そうした行動の自由を担保するのが、公共交通手段だと思います。そいうことを行政やボランティア活動のなかで、移動手段を提供するような仕組みがほしいと思います。

ボランティア活動の充実にも交通手段は重要

内田 最近の若者たちは、人のためになにかしたいと考えているひとが多いですね。

高梨 そうなんです。たしかに若者は社会のためになにかしたいと思っています。

内田 台風19号の被害が出たとき、福島大でボランティアを呼びかけました。学内で約500人在籍する災害ボランティアのチームが学生の中にあるんです。そこにお声をかけたら、200〜300人が新たにメンバーとして一気に加わり、力になってくれました。ただ、そのときも鍵は移動手段でした。移動手段さえ用意してくれれば、県内どこでも行ってくれるというのでした。そこで、バスをチャーターしたところ、ドロだらけになって、いろんなところで大活躍してくれました。

高梨 いわきの場合、もっとごく普通にボランティアにみんなが自然に参加していくという雰囲気の醸成が必要なのかもしれないと感じますね。

内田　いわきでも「ザ・ピープル」というＮＰＯ法人が、活発に活動なさっていて立派だと思いますね。30年ほど、女性のみなさんが中心で活動されておられます。

大川　そうですね。吉田恵美子さんたちですね。

内田　東日本大震災のときも、台風19号でも熱心になさっておられました。今、新しく始めようとしているのが中間支援ボランティアという形態です。いろんな地域にあるＮＰＯと全国各地のＮＰＯをつなぐようなＮＰＯなんですね。熊本の災害の時にはいわきから行ったり、逆にいわきで19号があった時には熊本から来てくれたりと。そういうとき、社会福祉協議会が窓口になったり、市役所の窓口になったりするんです。しかし、スタッフが少なくて、やはりコーディネートが課題のようですね。

高梨　災害時の避難所などで、状況に合った融通をきかせた対応ができないという場面に直面したことがあります。

内田　肝心なのは、平常時にいかに準備ができるかだと思います。いわきにも優れた活動家がいらっしゃいます。コーディネートをしてくださる方もおられるとと思います。

大川　「みんぷく」は原則的に、そうしたコーディネートを担当することを目的としたＮＰＯなんです。東日本大震災のときに誕生して、非常に活発にやってこられました。支援ものすごかったです。資源銀座なんて呼ばれたりして。その経験をもとにして、支援を振り分けるＮＰＯが必要だということで、「みんぷく」ができました。ＮＰＯへの振り分けを担当してくれるところです。

活気ある街づくりのために

大川　防災を一つのテーマとして、定期的に皆で集まって話し合ったりすることも大事ですよね。みんな意識としては、「必ずなんらかの災害はまたやってくる」と思っています。いつ来るのかわからないだけです。そういうときに、隣組がうまく機能できるといいですよね。そういう部分を市がいろいろな形で支援してくださるといいと思います。

高梨　新住民の人が既存の隣組にうまく入り込むことが難しい側面もあるような気がします。市からの各種情報を享受するのに隣組という活動を介さないと得にくいという実情もあるわけです。新たに、いわきに住んでくれる人を増やしたいと思っている街ですので、そういう部分は今後、考えていかないといけないと思います。「いわきは、住みやすいところですよ」と言えるように。

内田　新しくいわきに住む人も、昔からずっといわきに住んでいる人も、一緒になにかを創りあげていくような街づくりができる地域を目指せるといいですね。

大川　私の住んでいるのは湯本という地域なんですが、ここ1年くらいの間で、小さな飲食店のようなお店が、コロナ禍なのに4店ほどできました。ちょっとしたことなんですが、このように新しいお店ができたりすると、田舎の街はすごく嬉しくなりますね。

そういう観点からすると、市としても無利息のローンを用意するとか、なんらかの開業支援策を積極的に考えてもらえると、活気ある街づくりができるような気がします。

高梨　街づくりという点では、いったん更地にして再開発するというようなことも考えていいと私は思います。等価交換という手法もあるわけですから。ただ、等価交換というものの概念をご存じない方も少なくありませんので、なかなか本格的な街づくりは難しいですね。

若者の雇用の創出と拡大が急務

大川　いわきの場合、やはり若者の雇用創出と雇用拡大をしていかなければいけないのですが、それがうまくできていないのが問題です。いわきに戻りたくても働くところがないと帰れないからです。

内田　そういう意味では、時流に乗って民間主導での再生エネルギーの拠点など、企業の誘致に取り組んでいくべきです。再エネの研究所や各種施設をいわきに持ってくることができれば、都市部の大学を卒業した人もいわきに戻ってきて就職したり、新たにいわきに移住してくる若者が増えるはずです。

いわきの場合、高校卒業者の職場はあるのですが、大学を卒業した人がいわきで就職するとなったとき、働き場のマッチングが大きな課題となっています。

これからは再生エネルギー関連の企業や、宇宙産業、廃炉に関する研究機関など専門性の高い働き口が用意された施設をいわきに持ってくるべきです。

高梨　石巻なんかは、積極的に東京の大学を卒業した石巻出身者に「帰っておいでよ」と声をかけ多くのUターンした若者が、斬新な街づくりを推進しています。いっしょに街を復興させようというUターンしてきた若者の旺盛なエネルギーは、高齢者も巻き込んで力強い復興の原動力になっています。石巻は、大卒者の働き口が用意されているからですね。

内田　いわきも、工夫しだいで、多くの若者の雇用を創出することは可能だと思います。そして、それだけの底力は残っている地域だと信じています。

高梨　そうですね。私たち市民の一人ひとりの概念を変えていくことが大切だと思います。

内田　今日は、いわきの女性の方々の視点で、いわき発展のため、幅広い角度から貴重なご意見を伺うことができました。

私たちのふるさと「いわき」のさらなる発展のため、本研究所の今後の研究や地域貢献に活かしていきます。

本日はありがとうございました。

2　いわきの振興は「信頼関係の構築」で推進していく

亀井　淳　㈱イトーヨーカ堂前社長
㈱パートナーズ企画代表取締役
内田広之　（東日本国際大学地域振興戦略研究所所長）

東日本大震災と福島原発事故から10年を迎えた。㈻昌平黌・東日本国際大学（緑川浩司理事長）は、原発事故から一番近い大学として、浜通り地区の復興に様々な角度から取り組みながら全国・世界へ発信している。今回は総合スーパーとして知られる㈱イトーヨーカ堂前社長で2度に渡り社長に就任し、日本を代表する経営者の一人として広く知られており、現在、経団連顧問も務める亀井淳氏と内田広之同大学地域戦略研究所長に、経営トップ・リーダーとしての心構えや教育の重要性、コロナ禍後の日本の指針などについて語り合って頂いた。

会津で学んだ「思いやりや助け合いの心」

内田　高校の時の同級生で、イトーヨーカ堂で働いている親友がいるのですよ。今回の対談のために、彼に、亀井社長の経営改革について話を聞いてみました。そしたら、笑顔がすごく素敵な職員を投票し合って、ベストな人を表彰する「笑顔大賞」という取り組みが大分盛り上がったという話を聞きました。

亀井　淳さん

亀井　やはり、商売は何が大事か。例えばいい商品がリーズナブルであれば、もちろんお客様はお求めになると思うのですが、そこに笑顔もなくブスッとしているのより、いつも笑顔で接する人の方が、例えば１００円の品物が５円高かったとしても笑顔で接すれば帳消しにされます。私はいつも消費者の立場で考えます。購入する動機は価格よりも接客の良い悪いで決まるのです。自分をお客様として価値を認めてくれているかどうかだと思います。お客様に対するホスピタリティーがあるかどうかで購買するかを判断するのです。

我々小売業はお客様のニーズ、社会のニーズに応え続けることだと思います。その過程の中で、笑顔が最も大事と思ったものですから、笑顔大賞なるものをつくりました。私自身も笑顔大賞をもらいたかったですが、誰も推薦してくれなくて。(笑)笑顔が増えるようになってからは「明るくなったね」とか「買いやすいお店になったね」など、お客様から何通も手紙を頂きましたよ。いまでも笑顔大賞は続いています。

内田　私は、文部科学省で25年間働いていました。県庁にもいたことがあります。これは、私が働いた文科省に限ったことではないのですが……最近の中央省庁や県庁では、若い人が、仕事に魅力を感じられなくなり辞めてしまう職員が増えてきているような気がしています。そういった「笑顔大賞」とか、仲間で褒め合うようなプロジェクトがあると、なんだかワクワクして出勤するのが楽しくなりそうですね。しかめっ面でデスクワークに向かうのではなく、サービスを受ける側の立場に立って、自然に物事を考えられそうです。

亀井　笑顔というのは家庭でも仕事場でも大事だし、相手に対する思いやりであると私はいつも思っています。

実は福島と私は縁がありまして、父が会津出身で会津高校から早稲田大学に進みました。小さいころはよく、会津若松から新潟に入っていく磐越西線で猪苗代湖を通って檜原へ行きました。その辺りに親戚が多くいたものですから、小学校のころは夏休みになると大体、一人で行っていました。ですから、会津は私にとって第2の故郷なのですよ。ダムで泳いだり川でカジカを突いたり。都会では味わえない少年時代を過ごしたものです。

内田　「財界ふくしま」は福島県内の雑誌なので、福島の皆さんは、その話を読んだら喜ぶと思いますよ。日本を経営する第一人者でおられる方のベースが福島で作られたという物語は、ワクワクしますね。ぜひ、具体的に教えて頂きたいです。

亀井　都市対抗や高校野球など、何かと福島を応援している自分があるわけです。一番大事な小学生時代を伸び伸びと、土とか水とか人との触れ合いや自然の大切さを感じて過ごしました。東京はコンクリートのジャングルですから、土というものをほとんど知らないで育っていましたが、会津に行ったら、水はこういうふうに流れているのだと。あのころは湧き水が豊富で、各家庭が樋でつながり水が流れていました。近所に行くと土間に馬がいて、釣ってきたアユやカジカを囲炉裏で焼いてご飯を食べさせてくれました。

日本人は農耕民族ですから土の香りと感触というのは日本人にとってとても大事だと思っています。自然のありがたさや人の思いやり、助け合う心を少年時代に会津で多くを学びました。だから福島が大好きなんですよ。

「笑顔のある職場」は大きな魅力

内田　福島県はいま若者の人口流出が厳しいのです。いわき市では高校を卒業すると6～7割の子供が都会に出て行ってしまい、都会の華やかなくらしや、便利な生活に慣れてしまうと中々戻ってきません。しかし、都会では到底味わえない、地方の魅力というものがあると思います。それを掘り起こし、ちゃんと見える化すれば、人の流れを逆にもっていけると思っているのです。私は、地方にこそ、本物の魅力があると思っているのです。

亀井　新型コロナで社会のあり方が根本的に変わってきていますし、完全に元に戻ることはあり得ないと思います。リモートワークを中心に会社の組織のあり方も変わってきていますし、仕事への取り組み方も変わってくるでしょう。新型コロナは全世界に大きなショックを与えましたが、その反面、変革への促進材料になっていると思います。

また、リモートワークになったからといって「1+1=2」のように単純に人が流れて戻るということはないと思うし、いままでのように流出したままというのこともなくなると思います。東京に通える範囲の伊豆や富士五湖周辺、山梨の一部、もちろんいわきも入りますが、郊外への移住が始まっており、例えば出社が週に2日だとした場合、良い環境で子供を育てることを考えたら都会と地方のあり方、考え方も変わっていくと思うのです。リモートワークがどういう形で定着して進んでいくか？　いまのところ、まだ不透明な点が多いので軽々しく言えませんが、確実に世の中は変わってきていると思います。私は、震災や原発事故などから、逆に郷土愛というのが生まれ育っていくのではないかと思っています。

内田　私は長年、教育に携わってきまして、塾の方々や学校の先生から話を聞きますと、最近の保護者さんは、自分のお子さんの教育成果を急いで求めたがると聞きます。ご自身のお子さんを「水泳の選手がいいか」、「陸上の選手がいいか」とか「野球選手がいいか」という回答を探っているようなのです。例えが適切かどうか分かりませんが、植物の生育に例えると花や葉の形を気にする傾向があるということです。

しかし大事なのは土に眠っている根っこや、木の幹の部分だと思うのですよ。そういう部分が出来て、初めてどのように花が開いていくか、どのような葉っぱが作られるのか、ということだと思うのです。まさに、亀井社長がお話しされた様々な自然体験をたくさん積んでいれば、そこから立派な花や枝葉が出来てくると思います。

そういう教育がものすごく大切ですし、そういう土地で子育てをしようというのと、昨今の新型コロナの流れで地方を見直していこうというのとをうまくドッキングさせていければと思います。私はいま、大学で地域振興を担当していますが、新しい方向性というか、新型コロナを逆手に取った地域振興が出来ないものかと考えています。

亀井　いまの社会全体の変化と、福島県、いわき市の地域の特性の中で、いかに自然が、人間が生きていくことにとって大切であるかということですね。その自然は皆さんのすぐ目の前にあることを知ってもらう。そして若者にＰＲすることと教育することが大事です。確かに東京は一見、華々しくきらびやかですが、決して住みやすい場所でも子育てしやすい場所でもないと思います。教育でその概念を植え付けていけば、いつか戻る気になるのではないでしょうか。

内田　幹や根っこの部分を学校教育の中で育んでいければいいなと思いますね。つまり、人口流出を防ぐために「いわきの良いところはここだよ」と頭ごなしに無理やり教えても、子供たちには分からないし、都会や外国に出て初めて知ることもあると思います。ただ、種として入っていれば、大人になってからおいしい食べ物やきれいな海、気候、地質などのいわきの魅力が理解出来る。そのことを子供のうちから教育の中で植えていきたいと思います。

亀井　経済学を教えるより、よほど大事だと思います。

内田　地域振興を考えた場合に、若者の人口流出を申し上げましたが、亀井社長がお話しされたように笑顔で楽しい職場がいわきにもたくさんあれば、それも大きな魅力の一つになると思います。ぜひ、提言していきたいと思います。

亀井　大きな企業を誘致することも大事ですが、地元の若い人たちの起業精神を大切にしてあげて、起業しやすい環境をつくり、支援してあげられることを地域に根付かせることも大事です。

私の人生は全てそうなのですが、一番大事なことは人間関係や信頼関係を構築していくことです。自慢話のようになりますが、ニトリの社長さんやダイソーの会長さんなどたくさんの経営者と知己を得ております。お陰様で実に多くの友達に恵まれています。「看板は仕事をしてくれないよ。しても2割だ。あとは人間関係で仕事は回るんだよ」と若い人にはいつも話しています。

好景気で回っている時は通常の発注量ですが、コロナ禍のように景気が悪くなると、自分がよく思っている人を優先するのは当たり前の話です。信頼関係がないとあらゆる仕事がうまくいかない。常に「人間関係を構築しなさい」、「人を大事にしなさい」、「思いやりを持ちなさい」と話していますが、私は非常にアナログ人間で情感人間なのです。数字より何よりも情を優先しています。（笑）それが人間の良さだろうといつも話しています。

内田　社長が会津で過ごされた少年時代がいまの礎になっている印象です。地方での情に満ちた人間関係がその後の社長の人生に大きな影響を与えておられるのですね。近年、「地方創生」という言葉で政府も様々な政策を講じています。国や県が大枠の計画を示し、地方公共団体も更にかみ砕いた計画を作り、いつまでに、何を実現しよう、といったものです。しかし、そのようなペーパー上の計画づくりよりももっと大切な視点が必要なのかもしれません。例えば、亀井社長の企業経営の礎になったような会津での貴重な体験など、本物の人間関係や自然体験など、本当の宝を掘り起こしていくことの大切さを実感します。

亀井　地域の方々の純朴さ、隣近所で野菜や果物が採れれば分かち合うような、いい意味での五人組、十人組というか、何かあればみんなで助け合うことが当たり前でした。私はいま、400世帯のマンションに10年住んでいますが、マンション内の友人はとても少ないです。東京では隣近所と接触がほとんどない。地方の良さは人間的な接触がとても濃厚で、例えば病気になれば自分の親のことのように心配します。親身な中に人間の原点を見た気がしています。

赤字解消は「店長は社長と一緒だ」の言葉から

内田　亀井社長がパートナーズ企画でやっておられるような、人と人とのかかわりを大切にしながらもその延長にビジネスがあって、ワイワイガヤガヤやろうというのは、これからの地方の産業や企業の大きなヒントになると感じました。パートナーズ企画では、若者も入れて今後の起業のお話をされたりしているのですか？　地方の経済界を活性化しようという場合、そうした若者の起業の動きは、地方の発展の大きな力になると感じます。パートナーズ企画の活動には、大きなヒントがたくさんあるかと思います。その点、教えて頂けますでしょうか。

亀井　起業や転職など、いまの会社に不満があるとか夢に向かって進んでいきたいなど、若い人たちが様々な話をしていきます。私は後押しをするだけで、大体、彼らは不満や悩みを打ち明けるだけでスッキリするようです。「これからの世の中、挑戦する気持ちを忘れてはいけない。挑戦して物事を改革していかなくてはならない。過去に頼って、過去の延長線で物事を推測してはならない」等、私の経験から感じたことを若者に話をしています。過去の歴史や伝統は大事ですが、いまの自分の行為を見定めようとしたらブレークスルーで5年後、10年後から現在を見ないといけません。そうでないと本当の現在と方向性を把握出来ないのです。

過去の延長線、前期比とか前年比というのは、傾向を見るだけなのですね。それが現在の数字に影響するわけではない。だから3年後の企業、5年後の企業、10年後の企業を予測して、そこから見た時点でいまの予算を立てるわけです。予算は、みんながいま現在、色々な取り組みをして作り上げるわけです。だから、一番大事なのは予算です。前期比や前年比は傾向を見るだけのものであり、企業人には「予算を達成出来たか、出来ないかで判断しなさい」という話をしています。

内田　今日の対談に当たりまして、亀井社長の経営手腕を取り上げた過去の記事をいくつか拝見させて頂きました。印象的でしたのは、「一番知っているのは社長ではなく現場にいる各店舗の店長だ」と書かれていた内容でした。店舗ごとに5年先、10年先の目標を掲げ、いろんな評価尺度を店長が判断して現場で練り上げていくと。それがどこまで出来たのか?あるいは出来なかったのか。行政の専門用語でいうPDCA（Plan「計画」、Do「実行」、Check「評価」、Action「改善」）の考え方で改革を進められたのだなと思いました。過去の記事を拝見しますと、成功された部分の記事が多いのですが、ご苦労も多かったと存じます。宜しければ、2度の社長就任についてお話し頂ければと思います。

亀井　2度の社長のことについて少し触れさせて頂きますと、私は2006年9月に社長に就任し、70歳になった2014年の時に後輩に譲ったのですよ。みんなからは随分と退任を反対され引き留められたのですが、やはり企業というのは水を入れ替えしていかないとダメです。それで顧問に退きました。

僕の時代は、ずっと100億前後の利益を上げ、一応、優良会社と言われていたのですが、次の期に上場以来、初めて140億の赤字を出してしまいました。それで、伊藤雅俊名誉会長と鈴木敏文会長の2人から「私にもう一度、社長を」と言われたのです。私からすれば、箱根駅伝に例えれば一番長い2区を一生懸命走って、1位もしくはトップ争いをしてバトンを渡したわけですよ。そして、「ああ良かった」とシャワーを浴びて着替えて、マッサージを受けてホッと休んでいるところに高級車が来て。（笑）その黒い車から降りてきた鈴木と伊藤から、「亀井君。140億の赤字が出たから、汗で濡れたユニフォームを持って、もう1回、小田原5区の一番厳しい箱根の山を登ってくれ」と言われたに等しいのです。全身の力は抜けているし、ユニフォームはびしょ濡れで「これからもう1回走れと言うのですか。勘弁してくださいよ」と言っても、「だって亀井君、ほかに誰もいないだろう、バトンが途切れてしまうよ」と。それでもう一度、やむなく一生懸命走ることになったわけです。

2度目の社長就任の時に私が幹部に言ったことは、「店長は社長と一緒だ」ということです。あらゆることをして、まず自分のいまの状況を分析し、そこから課題を見付け提案するようにと。そして、実行してその結果を検証し修正していく。このサイクルを繰り返せばスパイラルのように、数字は上がっていくよと話したのです。

私は掛け声をしただけで、自分がやったわけではありません。ただ、その結果は何と1年で140億の赤字を解消した上、1億ほどの黒字も出すことが出来た。私は涙が出ました。それで

「もうこれでイトーヨーカ堂は大丈夫」と思い2度目の社長を辞めたわけです。

内田　やはり、上から与えられるというより自分たちでどうするか？　現場で考えることが大事なのですね。目標設定ややり方を現場に一定程度、一任をし、現場が本気で目的実現をするための流れを、経営者が後押しするということでしょうか。やらされ感がなく、現場が主体的に、柔軟で自由な発想に立って物事を進めていくということが成果を生むヒントなのでしょう。

亀井　ただ、経営者はそれを「ボトムアップ」だと言って逃げる時があります。ボトムアップは体裁のいい言葉で、最終的には社長の責任です。だから、私が社長の時に感じたのは、企業の本当の経営改革はリーマンショックのような危機の時の方がやりやすいものです。リーダーシップは集団体制では出来ません。社長個人が自分の信念を持って部下と信頼関係を作り、なおかつコミュニケーションを取りながらやっていくべきなのですね。

コミュニケーションも、単に自分の方針はこうだと言っただけでは「伝えただけ」です。本当のコミュニケーションは、自分が方針を伝えたことによって、社員たちが自分の言った方向に動く。それで初めてコミュニケーションが取れたと言えるのです。皆さん、コミュニケーションの意味を間違えている。僕に言わせれば、あなたたちがやっているのは「伝達事項」だよと。自分が話したことで、その人の行動が変わることがコミュニケーションです。

人生を変えた「人に優しく」の精神

内田　実は行政の組織の中でも、最近の流行り言葉に「ＥＢＰＭ」というのがあります。これはEvide nce Based Policy Making（証拠に基づく政策立案）を略したもので、行政学でリーダーシップ論を議論する時によく使われる言葉になります。

中央官庁でも毎年、部署ごとにある程度の数値目標を立ててやっています。先ほどのＰｌａｎ「計画」、Ｄｏ「実行」、Ｃｈｅｃｋ「評価」、Ａｃｔｉｏｎ「改善」や、リーダーはコミュニケーションだと言って取り組んでいるのですが、中々、どこの役所も進まなかった。

私が文部科学省にいた時に、当時の菅（義偉）官房長官とも相談しながら、５カ年の教育振興基本計画を作ったことがあったのですが、こういった計画はいままで定性的なことしか書いていなかったのです。つまり、日本は読解力が弱いから力を入れましょうとか、自然体験を重視していこうなど、ものすごく定性的な書き方でした。

それをもっとエビデンスに基づいていこうと流れを変えたのです。例えば、日本全体の読解力はＯＥＣＤ（経済協力開発機構）と比べて何ポイント低いから、それを何年掛けて何ポイントぐらい縮めましょうとか、都道府県、市町村ごとに、それぞれ自分たちに置き換えて数値がどれぐらい足りないのかについて、読解力はどうか、スポーツテストの結果はどうかなど、きちんと診断した上で、各現場で方法を考えていこうという方向性を出したのです。
ただ、みんな体裁は作るのです。国から言われれば、うちの自治体では何年掛けて、これだけの数値に持っていきますと目標は掲げるのですが、結局は形だけで終わってしまっています。教育現場で言えば、校長や教育長と現場とのコミュニケーションの問題で、ただ単に伝達するだけではなくて行動が変わっているかどうかをきちんとトップが見極めていく必要があると思うのです。

亀井　「変わったね」と一言掛けることも大事なのですよ。

内田　そこなのですね。そこが、私が経験した部門では中々、実現出来なかったことだったと、いま反省も込めて社長の言葉を聞いていました。

亀井　私にはいくつかのポイントがあり、いまでも住所まで言えるのですが福島県南会津郡下郷町が私の本籍地だったのです。だから、先ほど言ったように、まず一つ目が会津における本当の人間味の温かさがベースにありました。
二つ目のポイントは、大学時代にアメリカへ行ったことです。当時、自動車倶楽部というところに入っていたものですから、仲間たち4人と車で北米大陸を一周する壮大な計画を立ててアメリカへ行ったのですね。スーパーでまるごと1羽焼いたチキンを買ってきて、それをホテルに持ち帰って、みんなで捌いてパンで食べたりしました。その時は日本鋼管に入社することが決まっていましたから、アメリカでは「スーパーという便利なものがあるんだなぁ」ぐらいにしか思っ

ていなかったのですが――。（笑）

アメリカでは色々な勉強をしましたが、中でも一番印象に残ったのがセントラルパークでの出来事でした。自由行動だった時に一人でセントラルパークへ行ったのですが、帰ろうとセントラルパークを出た直後に、車椅子に乗ったおばあさんと出くわしたのです。セントラルパークの前には高級マンションがあり、アメリカの老人の方々はお昼を済ませたら1時から2時ぐらいまで日光浴に出ます。これはあとで聞いて分かったことですが、いつもはご主人が車椅子を押していたのですが、その日はご主人に用事があり、おばあさんが一人でマンションに帰ろうとしていた時でした。

それで、私は車椅子を押してあげようかと、おばあさんに声を掛けようとしたのです。だけど、「見たこともないアジア人が何か物でも盗もうとしているのではないか」と変に思われてしまうのが恐くて躊躇してしまった。すると、向こうから13、14歳ぐらいの黒人の少年が時計を見ながら急ぎ足で来たのです。帽子を被りガムを噛みながら、見るからに急いでいたのですが、少年はおばあさんが目に入ると「Hey mammy」と話し掛け、車椅子を押してマンションのエレベーターの前まで連れて行ってあげたのです。

私は、今度こそ勇気を持たなければと思い、戻ってきた少年に「君はあのおばあさんの知り合いか?」と話し掛けると、「知り合いでも何でもないよ」と答えてきた。それで、「君は急いでいたようだけど、何でわざわざ押してあげたの?」と再び尋ねたところ、こちらを変な顔で見て、

「我々健常者が、身体が不自由な人々を見付けたら手助けするのは当たり前だろう。何で君はそんなことを聞くんだよ」と言われたのです。

私はその時、頭をゴーンと叩かれたみたいに、ショックと自分がおばあさんに声を掛けられなかったことへの恥ずかしさとで、いっぱいになってしまいました。同時にアメリカという国の奥深さを学びました。それから、「ハンデを持った人々に対しては、情けではなくて本当の仲間として手助けをしなくてはならない」という考え方を強く持つようになりました。

その後、日本鋼管に10年近く勤めていましたが、先ほどの「人に優しく」という会津とアメリカでの経験が生きたのは、イトーヨーカ堂に入社して、店を作り始めた時からでしたね。やはり、我々は「人に優しい店」を作らなければならないと。健常者にとっては当たり前のことでも、ハンデを持っている方が苦痛と思えることが多く、それらを全て取り除くようにしました。例えば、あらゆる段差をなくしたり、出来る限り休憩所を作ったりと、「人に優しい店作り」に取り組んできました。

イトーヨーカドーの「ふれあい灯」というのは、もし車椅子の方が一人で来られた時に、このボタンを押すとサービスカウンターないし事務所に連絡が届き、誰でもエスコートが出来る仕組みになっています。杖や眼鏡、補聴器などの必要なものは全部、揃えて置くなど、ユニバーサルデザインとハートビル法を取り入れています。また、私が一番力を入れたのが全社員の手話の習得です。「ありがとうございました」「かしこまりました」などの基本用語までですが、なぜ手話を習わせたのか？　もちろん耳の聞こえない人のためになるのですが、それほど対象のお客様はいらっしゃいません。でも、手話を習うことによって自分の世界から身体の不自由な方々の分野に一歩足を踏込め、思いやりを持った心が生じます。笑顔とともに手話を習うことで人に優しくなれるのです。手話を習うと、いままでとガラッと変わります。人間は不思議なもので、自分のテリトリーから一歩踏み出して、お身体の不自由な方と気持ちや情報を共有することにより、優しさを伴った大きな喜びになります。

人生観を変える出来事が成長につながる

内田　お客さんとつながるための一つのきっかけを社長が与えたということですね。先ほどの会津での自然体験・経験と人の優しさから外国のセントラルパークの話になって、そこからバリアフリーに至るまでテーマが広がっていく。若い世代の内向き志向が指摘されていますが、コロナ禍で中々、外国に行けない。私もアメリカやフランスへ行った経験がありますが、ふとしたことで自分の人生観がガラッと変わることがありました。

亀井　そういうシーンが多い人は、1カ月に1回とか2カ月に1回、年に数回あると思います。少ない人は10年に1回くらいかもしれません。僕みたいに、会津での体験を自分の心の中に留めて、アメリカでもまたそういうシーンに出会う。自分の人生を変えるようなシーン、出会い、触れ合いはどんな人でも何度かあります。それを自分のものとして取り入れることが出来るかどうかが、その人の人生を左右する。その人の価値観を決めるのだと思います。

内田　私は社会人になってから文科省のグループで1年間、海外に留学の研修に行かせて頂く機会がありました。英語がものすごく下手でした。授業もついていけないし、ホームステイ先でも会話が通じない。本当に毎日、泣くぐらいの苦しい思い出だったのですが、それを見かねた外国人の方々が「自分たちがカンバセーション・パートナーになってやる」「自分たちがフレンドになってやる」とグループを作ってくれたのですよ。そこから1年、毎日ランチタイムに集まってくれて、宿題を手伝ってくれる。リスニングテストの場合は「自分が読み上げるからそれを聞け」と。私は広之という名前なので、「ヒロ、聞いてみろ。それで解いてみろ」と――。

日本の勤務条件とは違い、午後は時間が空く日もありましたので、時には3時間も4時間も付き合ってくれました。もちろん、彼らはバイト代も何もなくて無償でやってくれるのですね。みんなでコーヒータイムを作り、コーヒーを飲みながら英語で長時間、付き合ってくれました。そんな経験はものすごく自分の英語の上達にプラスになって、「じゃあ来週はスキーに行くぞ」というプランを組んで1日、半日を過ごす。冬休みになれば2、3日一緒に過ごすわけです。自分は、最初のうちはとても辛かったのですが、やがて英語が上達してくる自分が分かるのですね。

そんなことを繰り返してるうちに、ある朝、CNNニュースの英語がパッと入ってくる瞬間があったのです。天気予報だったと思いますが、それに猛烈に感動して、以来、アメリカがすごく好きになり、周りの人たちの愛情を深く感じました。そんな話を、日本の高校生で、これから外国に旅立つ若者たちや、あるいは国際経験を積むことに二の足を踏んでいる若者にしています。

日本の高校生と話をすると「英語は難しい」とか「語学が苦手です」と言うのですよ。でも、それは日本の英語教育の文法が複雑だとか、たくさんの単語の記憶量がおっくうだという次元の話です。私が経験したような外国人の無償の愛情を受ける経験や、それが自分の成長につながった実感は、人生観を変えるものです。亀井社長のエピソードのように自分の人生観をガラッと変えるようなことが国際経験にはありますね。

亀井　英語を学ぶのも理屈ではないのです。そこにはいつも情があるわけで、それをベースにして学んでいけばと思います。自分のことを「よろしく」と英語で話さなくても、そこに情があれば情で相手の心の中に入っていけます。逆に言えば、情が英語を学ばせてくれる。僕はそう思いますね。

内田　私はずっと剣道が好きで、いまも続けていますが、アメリカには日本から竹刀を持ち込んでいました。ある時、先ほど話していたアメリカの友人たちとその話題になって、「ヒロ、剣道を教えてくれよ」ということになりました。竹刀の構え方から始まり、振りかぶり方、面や小手の打ち方を、一緒に実演を交えて教えてあげたら――。

亀井　すごく喜んだでしょう。よく分かります。

内田　そうなんです。面・胴・小手と喜んで打ち込んでいました。留学前はホームステイファザーとかマザーに日本の武道をエピソード性で教えられるぐらいでいい、という程度の想定はしていましたが、それ以上の情と情の交流が出来て、アメリカ留学は忘れられない経験になりました。そんな経験が留学や国際交流の醍醐味だと思うんです。

亀井　そこで得るものは大きかったわけですね。

内田　そうですね。それと、今度は、国内の話になりますが、岡山県の学力向上を担当するため、岡山県の教育次長の立場で文部科学省から2年間派遣されたことがあります。岡山県の知事は教育県の実現を公約に当選された知事です。歴史的に、岡山県はずっと全国でトップレベルの教育県であると認識していたのですが、平成18年の全国学力調査で全国下位にあると分かった。それが2、3年続き県民全体に強い危機感を与えました。江戸時代には庶民も学べる国宝の閑谷学校があって、日本や世界で初めて庶民に開かれた学校をつくるなどして教育をリードしてきたのに全国最下位に近い。そこで知事が、全国学力調査での全国10位以内を実現するために文科省から職員の派遣を要請されたのです。

　私は秋田県で勤務した時に全国トップになった経験を見ていましたので、そのノウハウを聞きたいということで岡山県に赴きました。学力もそうですが、高校とか中学で国際経験を身につけさせるための教育が中々進んでなかった。アメリカのエピソードなどをいろんなところで話したら、みんな結構納得してくれて、経験に基づいた話を真剣に聞いてくれたので進めようという流れが出来たのですね。普通に考えると英語検定試験やTOEICの得点アップ対策になりがちなのですが、そうではなくて、体験に基づくエピソードの重要さを実感頂いたのです。

「2センチの価値」を知ることが大切

亀井　もう一つの経験はささいなことですが、ある旅館に行った時に仲居さんが「お茶をどうぞ」と出してくれました。その仲居さんは「お茶をどうぞ」と言って2センチほどお客の方に手を添えて動かしました。「この2センチは成否を分ける大切な2センチ」なので、この2センチにホスピタリティーがあるのです。

　よく考えてみてください。普通に「どうぞ」と置いてくれるのと、ニコッと笑顔で「どうぞ」と言いながら2センチ勧めてくれる、この2センチの差。これを理解出来る日本人でありたいですね。物事を始める時、人は期待しますよね。「あなたなら、ここまでやってくれるだろう」と。でも、それだけではダメで、そこから2センチ上、要するに2センチオーバーしたところにサプライズがあり、それまでの価値を倍に高めるのだと思っています。

　例えば、これまでの価値が1メートルとして、この1メートルだと思われたのを2センチオーバーしたとすると、この「1メートル2センチ」は1メートル50センチの価値が出てくる。だから最後の努力、私はこの2センチに価値を感じたのです。この仲居さんのホスピタリティーには「よくこんな山奥の旅館まで来てくれましたね、本当にありがとう」という自分の気持ちが感じ取れる。

僕はそれをサービスではなくて自分の努力というものに置き換えたわけですよ。お客様が期待するよりも良いサービス、良い売り場づくりをすることで全体の価値が高まる。だから、人間はこの最後の2㌢の努力を惜しんではいけません。肯定的に自分の中に取り入れられるかどうかもすごく大事で、それで人は大きく変わります。

内田　東日本国際大学の人間力講座で社長が説かれたのも、色々な出会いから何かを学び取り吸収する大切さでした。出会いから学ぶ感性や態度を持ち続けよう、ということのメッセージだと受け取りました。

亀井　私は、年賀状は廃止論じゃなくて一度でもお付き合いがある方には1年に1回、滅多に交流のない方とコンタクトを取る良い機会と考えています。ですから私は年賀状を１５００枚ぐらい出しています。

内田　そうなんですか。すごいですね。

亀井　日本だけで1億２０００万人の人がいて地球上にはもっと多くの人がいる。これを縦の時間軸で捉えると、もう何百億、何千億の人間が生まれて生命を終えてきているわけですよ。その時間軸に照らせば、同じ時間を共有するだけでも稀有であり、親子であることもすごいことです。今日、こうして一緒にお話をさせて頂ける機会は、米櫃に赤く染めたお米を2粒入れて、それを攪拌したあとに赤い米粒同士が隣り合う。そのぐらいの確率です。だからこそ人との出会いを大切にしようと思っています。限られた人生の時間で選ばれた人として、本当に稀有な確率で僕と内田さんは話している。そうしたら、やはりその偶然さに感謝せざるを得ないではないですか。
内田　確かにそうですね。そう考えると自分の命を無駄には出来ない。
亀井　私はいつも、「もっと命を大切にしなさい。この命はこれだけ大切なんだ。奇跡のような確率から生を受けているんだよ」という話もしています。
内田　私が教育行政の道を志した出発点は中学生の時、全国的に自殺が連鎖したことがあり、将来は学校の先生になってそういうことをなくしたいと思ったことでした。文部科学省で何かの制度づくりに携われればもっと広く貢献出来るという思いになり教育行政を志しました。教育で人と人が影響し合うことの大きさ、人生に対する貴重さ、素晴らしさを亀井社長のお話を聞いて実感しています。
亀井　パソコンやＩＴ、ＡＩ、ＤＸ（デジタルトランスフォーメーション）など、私はプログラムを組むことが出来ませんが、その存在と価値を理解してアナログも大事にしていくことが大切だと思います。小売業界もデジタルの世界とアナログの世界、要するにリアルとバーチャルの世界があり、ネットによる通信販売の良さもある。そして、リアルにはリアルの良さがある。お互いの特徴を融合した一つの企業になれればと思って努力しています。
　それからもう一つ、「３・11東日本大震災」の直後、私は鈴木から言われてグループ全てのリーダーとして、セブンイレブン・イトーヨーカ堂からヨークマート、ヨークベニマル等各社を全部集めて震災復旧を支援する会議のリーダーを務めたのですよ。東京から物資を運ぶのに関西や九州の店舗から全て集めて東北に送ったりしました。

あの時は民主党政権でしたが、高速道路を一般車は通してくれませんでした。官房長官は仙谷（由人元衆院議員・故人）さんだったので、僕は鈴木に同伴して仙谷さんと面会をして「非常に現地は大変な中、警察、自衛隊、消防署は命を助ける。そして、病院やお医者さんが命を治す。そして、我々流通業が食料や水、生理用品等を運び命をつなぐ。だから流通業は大事なのです」と話したのです。水道、電気、ガス、鉄道、通信という社会インフラのほかに第6のインフラとして流通・物流も食品や電池、衛生用品や薬品など、そういう生活必需品がなければ命をつなぐことが出来ないわけです。ですから「第6のインフラとして認知してくれ」と申し上げました。そこまで話したら、ようやく「分かったよ」と言って通行証を出してくださいました。

特に原子力の事故があった時に、いわきのお店や仙台のお店、小売り店を立て直すため、セブンイレブン等を立て直すために人手が必要で、私はそのために希望者を募りました。そうすると30人くらいずつ、みんなリュックサックで寝袋を持ち、何人も応募してくれた。その方々を送る時には涙が出ました。

当時、私は7日間、会社とホテルに泊まり込みで陣頭指揮を取りました。というのも、食料品や毛布などを順次送らなければ、その地域の方々が生活出来なくなるわけですから。だからといって不必要なものを送っても仕方がないわけです。

それから原子力発電所の爆発事故の問題が起きた時には、東北の商品が売れなくなりました。

東京の人々はあのような状況だからボランティアに出られないわけです。ボランティアに出られる方は少ない状態でした。もちろん色々な面で寄付はしていました。だけれど、何らかの形で自分たちも少しでも東北を助けたいという気持ちが東京の方々にもあったのです。だから、その手伝いたいという気持ちと「福島のお米を出したい、宮城のお魚を東京に出したい」という、被災された生産者の方の復興したいという思いをつなぐということで「架け橋プロジェクト」を始めました。

1カ月に1回～2回、架け橋プロジェクトフェアとして福島県産のお米を全部、自分たちで炊いて、安心安全を確認して実施したのですが、生ものや果物、それに一般のものも含めて約数百億円以上、売ったのではないでしょうか。私が企画した「架け橋プロジェクト」は、まだ続いていますが、やはり、東京の方々が何らかの形で東北に関与したい、助けたいという、気持ちと気持ちをつなげるということで、私たちが間に入り売って差し上げれば福島も宮城もいわきも助かり、東京の方々も「これで少し自分たちも貢献出来た」という喜びを感じることが出来たと思いますね。

手間暇が掛かるところにこそ教育の本質がある

亀井　そしてもう一つ、セシウムが飛来してきて東京都江東区にある浄水場に入り、東京中にセシウムの影響が出るという話が流れました。本当に微々たるものでしたが、東京中のお水がなくなってしまいました。その時に私がしたことは、お客様の立場に立って考えた時に、男性ならばどこにでも車で買いに行けるではないかと。一番、真水がなくて困るのは誰か？それは一般の乳幼児を抱えた母親です。自分がセシウムを飲むと、セシウムは沸騰させようが何をしようがなくならない。それを子供に母乳として与えたくない、あるいはミルクとして飲む時に水道水を煮沸して使っていても使えない。だから「自分のことよりも赤ん坊にあげるミルクだけは、ミネラルウオーターでつくりたい」と。

当時はまだ、3月下旬でしたから寒かったのですね。しかも、私のお店が始まるのは午前9時や10時。その時に幼い子供の手を引いて、または乳児を抱えて並んでもらうわけにはいかないですよ。その時に考えました。これはリーダーとしての責任、務めだと思い、母子手帳を持っている方々に優先的に無料でミネラルウオーターを差し上げたのです。しかも、そのお店に1000本の水が入ったとしたら、「600本は午前10時から売り400本は倉庫に入れておいて、午後1時ぐらいから母子手帳を持っている方に配りなさい」と指示しました。これは本来、不公平で、あってはならないことで商売は平等が原則だという方もいるかもしれません。でも、あえて私は「愛のある不公平をやる」と言い、1週間ほど続けました。

やがて10日もするとミネラルウオーターが東京のお店に戻ってきたのでやめましたが、その時に水をもらった主婦の方々は、いまでもイトーヨーカドーのファンです。リーダーとはこういう決断をするものではないでしょうか。

内田　そうですね。一瞬の賭けでもありますよね。それに対する反発も想定されますから。それで収益が落ちてお客様が離れていってしまう可能性もありますので、そこの判断がリーダーとしての判断、決断なのでしょうね。

亀井　それから、消費者にとって便利なことは小売業者にとって不都合なことだという話も、よくしてきました。これは、小売業者にとって手間隙の掛かることはお客様にとって便利なことだということです。例えば、このごろはなくなりましたが、昔は柿やリンゴを売るのに「5個入り1パック480円」などで店頭に並べていました。我々もその方が売りやすいしレジもやりやすい。逆に1個1個で売ると全て磨かなくてはならないし、1個いくらだとか、レジにも連絡をしておかなければならない。パック売りはいまではほとんどなくなりました。個売りが原則になったのです。手間隙は掛かるが消費者にはありがたい。私も家内と一緒に買い物に行って、いまでもリンゴの一番おいしいところとイチゴ1パックを購入してきますが、それを毎日、購入した方が新鮮でおいしい。でも、小売店にとっては手が掛かり大変なのですよ。

ですから、ある意味では教育も同じだと思いますよ。手間隙掛けることは本当に面倒なことがあると思いますが、それは生徒たちのためになる。それを省いてしまうと生徒のためにはならない。

内田　確かにそうですね、教育もそうですね。マニュアル化され過ぎていて、色々なドリルが出回っていますよね。どの科目でも点数を上げるにはということで効率化されたようなものがあるのですが、やはりいまの時代、伸びている若者にどんな教育を受けてきたかを聞いてみると、やはり先ほど亀井社長がお話しされた会津若松の少年時代ではないのですが、幼少期に親に博物館にたくさん連れて行ってもらい、そこから動物、植物が好きになり理科や自然に興味を持ちその分野に進みましたとか、一生懸命、鬼ごっこなどで遊ぶうちに体力が付いて結果的に体育も、いつの間にか身体を動かすことが好きになったという話をしてくれます。クーラーの効いた部屋でずっと座って問題を解いているというやり方、その方が教育者としては便利かもしれませんが、私も自分の子供は、よく多摩川などに連れて行き、多摩川の上流などでよく一緒に泳いだりしていました。1日掛かりでクタクタになりました。とても面倒で、親も体力がいることですが、魚を掴み取りしたりする体験や、川の流れが急になってきた時に、流されそうになってもう少しで溺れそうになったから泳ぎを覚えておこうとか、そのために体育の水泳を頑張ろうということにも繋がります。根っこの部分には亀井社長がお話しされた「情の部分」があり、そして、手間隙が掛かるところにこそ、教育の本質があるのではないかと感じますね。

亀井　だから本来、学校はもっと少人数にして一人ひとりとスキンシップを図りながら肩に手を置きコミュニケーションを取り、その子を成長させて一歩垣根を越え、新しいことに挑戦させることが教育だと思うのですよ。

内田　本当にその通りで、先ほどの Evidence Based Policy Making とお話ししたのですが、学校ごと、地区ごと県ごとに、読解力が強い、弱いとか、算数が強い弱い、そして、算数でもどの単元が弱いとデータでは分かります。そこから先、どのようなやり方で克服するかというのがイトーヨーカ堂の経営ともつながっている部分があると思うのです。

そこの〝店長〟である校長先生や教員が、児童の読解力を解決しようという場合に、目の前の児童が、よく本を読むような子の場合と漫画が好きな子の場合と、そして、全然、活字は読まない子では、やり方が全く異なってくるので、その現場現場で判断をして、同じドリルを使って一斉に解けというのではなくて、いまの企業のお話を聞きながら、やはりそれが教育でも、応用して当てはめてみるとそのようなことだなと思いました。

企業経営と教育が、「人と人との情」をベースに、いろんな共通点があるなと実感したお話でした。本日は、貴重なお話をありがとうございました。

3　いわきを「21世紀の米沢藩」に！

森田　実（東日本国際大学客員教授（地球文明研究所所長））
内田広之（東日本国際大学地域振興戦略研究所所長）

東日本大震災と福島原発事故から10年を迎えた。㈻昌平黌・東日本国際大学は、原発事故の現場から一番近い大学として、浜通り地区の復興に様々な角度から取り組みながら全国、世界へ発信している。今回は同大学の客員教授・地球文明研究所所長であり、政治評論家としても著名な森田実氏と内田広之同大学地域振興戦略研究所所長に、文明論をはじめ地域振興の在り方、教育、雇用、医療など多岐にわたるテーマを大いに語り合って頂いた。

「基礎自治体の強化」が今後の課題

森田　本日は、東日本国際大学で地域振興戦略を研究される内田さんとの対談ということで、楽しみです。これからの地域振興の在り方について、いわきの話が中心かと思いますが、お話出来ればと思います。

内田　私はこれまで、森田先生をテレビで拝見し、先生の書かれた御本やこれまでの講演録を読ませて頂いてきました。本日、お目にかかれてうれしく思います。

森田　戦後日本は長期的な展望を持たずにやってくることが出来た。ところがいま大きく事態が変わり、長期的な展望を持たないと基礎自治体の市町村も都道府県も、国会も政府もやっていくことが出来ない時代にきたのではないか。長期的展望とは何かというと、要するに教育です。

森田　実さん

教育の成果は100年で、早くて10年から30年。子供の教育から始めるわけですよ。「国家100年の計は教育にあり」という言葉がありますが、教育を社会運営の一つの基軸に見据えていくことがこれからの時代の課題ではないかと思っています。

いま、政府は具体的な成果を上げて国民の信用度を上げていくということでやっているが、従来の方法でそれが行われれば一定の信頼感が生まれたけれど、いま国民が求めているのは、その場その場での解決以上のもの——つまり社会の未来、人類の未来、子供たちの将来というものを政治に期待しているのだと思います。

もう一点、いま力を入れているのはやはり基礎自治体ですよ。40、50年の運営において企業を強めてきたが、行政機関では県を強めてきたのですよ。基礎自治体が弱くなってきている中、基礎自治体の力を強めることがこれからの日本の大きな課題になっていくわけですね。

内田　正にご指摘のことに同感します。それぞれの自治体によって、抱える課題が違ってくると思うのですが、特にいわき市は東日本震災で476名が亡くなられています。一昨年は、台風19号で12名が亡くなられました。つい先日は、震度4強の地震と大雨がありました。こうした中で地方の課題が先進的に出ており、課題が先鋭化しているのではないかと思っています。基礎自治体では、長期的展望で課題解決の方法を考えていくべきとの声が高まっています。

地方は、若年の都市部への人口流出が深刻です。いわきはじめ、福島県浜通り地方では、約6～7割の子供たちが高校卒業と同時に、1都3県などの都市部へ出て行ってしまいます。残念な結果ですが、高校生に将来の地元への定住意向のアンケートを取りますと、約4割が「将来、地元に定住する意欲がない」と答えています。どこの地方都市でも共通かもしれませんが、福島県浜通り地方や、いわきも、都市として魅力が若者に実感しにくくなっているのではないかと考えます。また、医者が少なく、心筋梗塞や脳梗塞などの急性疾患の死亡率が高いことも指摘されています。これから魅力ある都市として生き残っていけるのか？　若い世代は、楽しく暮らしていけるのか？　人口減少を解決していこうとする場合、1年、2年では解決は難しいので、教育にしっかり取り組むことや、医者が100人くらい足りないところを長年掛けて埋めていくことが必要です。そして、何よりも雇用の確保ですね。再生エネルギー、宇宙開発にもつながる廃炉技術、最先端の医療技術など、民間主導で技術革新が始まっています。

全国的に先進的だと思われるこうした取り組みを整備していくことが重要だと考えています。長期的なものを掲げていく必要があると思っています。

地方からモデルを作り発信していく

森田　内村鑑三は『代表的日本人』として、西郷隆盛、上杉鷹山、二宮尊徳、中江藤樹、日蓮の5人を挙げています。日蓮と西郷隆盛は全国的な規模で活動した人ですが、上杉鷹山、二宮尊徳、中江藤樹は地方で活動した。地方で活躍したのですが、優れた業績を上げたことにより、この3人の偉大さは全世界に広がりました。ジョン・F・ケネディが最も尊敬する政治家は上杉鷹山だというほどに広がりました。いまの日本に必要なのは、上杉鷹山、二宮尊徳、中江藤樹のような地域のリーダーです。これからは、そういう地域リーダーが必要とされる時代だと思います。

いわき市は震災、津波、放射線の三重苦だった。今度は疫病が加わりました。いまは四重苦を背負っています。これは広島や長崎、沖縄に匹敵するような、重要な歴史的な苦難を抱えた地方自治体です。米沢藩を再建した上杉鷹山のごとく、あるいは相模と栃木で活動した二宮尊徳のごとく、また近江で活躍した中江藤樹のごとき成果を挙げれば、日本だけでなく全世界のモデルになります。

内田　森田先生の『森田実の言わねばならぬ名言123選』でもご紹介されている「為せば成る為さねば為らぬ　何事も成らぬは人の為さぬなりけり」という名言を残した上杉鷹山は、とても尊敬する地方の政治家です。上杉鷹山が藩主に着任した時に、20万両、現在の通貨で200億円以上の借金があったのを立て直しました。その成功の秘策が「産業と教育」です。産業では、1次産業だけで完結していたのを2次産業、3次産業まで広げました。いまの言葉でいうと6次化産業まで先見の明を持って、例えば、紅花の栽培に止まっていたところを、他の藩から技術者を呼んで、紅花から「口紅」を作り、全国に販売しました。また、「からむし」という、米沢藩で育てられていた植物があるのですが、その「からむし」から着物を作る技術を藩の中で広めました。当時、会津藩にいた「小千谷ちぢみ」の職人を呼んで、「からむし」から「ちぢみ」を作る技術を学んだのです。また、興譲館という庶民も学べる学校を作りました。当時、武士が学べる学校は全国でも広がっていましたが、平民（農民・職人・商人）が読み書きを学べる学校は、珍しかったのです。興譲館で、平民が読み書きを学べるようにし、口紅やちぢみの技術を皆が学べるようになりました。全国から商人たちが、米沢藩に口紅やちぢみを買いに訪れるようになり、藩民たちが、収入を得て裕福になったという江戸時代の地方都市の成功モデルは、地方創生が叫ばれるいま、大きな見本だと思っています。

森田　最近、上杉鷹山についてのいろんな本が再び活発に書かれ、注目されていますよね。米沢という一つの地域で取り組んだことが日本全体、全世界に影響を与えた。いまの米沢は上杉鷹山の輝きを維持していないですが、米沢の価値は上杉鷹山の功績によって永遠化されるわけですよ。苦難を経験したいわき市で、江戸自体の米沢藩のような教育と産業の改革が起こり、新たな地域振興のモデルが生まれていくことを切に期待しています。内田さんがいる東日本国際大学の地域戦略研究所に期待しています。

内田　ありがとうございます。私は25年間文部科学省で仕事をしてきました。国の中央省庁で働くことにもすごくやりがいはありました。行政機構ですので県も基礎自治体も一つの同じ制度でつながっています。しかし、中央省庁というのは各官庁がそれぞれの所掌を分担しています。小学校なら小学校、中学校なら中学校というような所掌の中を、全国は責任ある立場で見ることが出来ます。しかし、話題になった上杉鷹山ではないですが、感染症や災害の発生、財政状況の厳しさなど、課題が一度に発生しているような厳しい時には、教育や産業、農業、土木、医療など、全体を俯瞰して見て、全体の中で濃淡もつけ、横の連携も促しつつ、分野横断的な政策手法で手を打っていくやり方が求められます。その成果を、地方からモデルとして発信していくことが意義深いことだと考えております。

森田　私はいま、中央官庁の情報誌の『時評』で、隔月連載ですが「国の実力、地方に存り」というコラムを書いています。その第1回に編集部から、広島県の新しい教育事業を取り上げて欲しいと依頼されました。「広島県知事の、英語で授業するような国際的な学校を作りたい」との提案に共鳴した、若い文部科学省の役人が文科省を辞めて、広島県庁に移って、この事業の中心となってやっています。頼もしいですね。

内田　寺田拓真さんですね。

森田　そうです。私は広島へ行って、寺田拓真さんと湯崎英彦広島県知事に会いました。新しい教育への情熱があふれていて、私は大きな希望を感じました。いまは地味ですが、未来に向かっての大事な事業に、中央官庁の若い国家公務員が中央省庁から地方自治体職員になって一生懸命に取り組んでいる姿を見て、すごい明るさを感じました。コロナが収束したら、また広島へ行って、もう一度書きたいと思っています。

内田　あの学校（「広島県立広島叡智学園中学校・高等学校」）は全国のモデルになると思いますし、私も注目していました。

森田　地方創生、新たな地方のモデルづくりがこれからの大きな課題です。このモデルが広がることによって、地方が自信を回復し、地方の住民が大きな希望を持つことが出来ます。希望を持つことによって、地方・地域の力が出てくると思います。率直に言って、いまの日本社会は危機です。この状況から脱皮するためには、基礎自治体を立て直す力をもった上杉鷹山のような地域リーダーが全国各地に登場することではないかと私は思っています。

今後は「精神の強靭化」も

内田　全国的に災害がひどい状況になっています。背景には、地球温暖化の問題もあります。2050年までに脱炭素という方向性が国から打ち出されています。福島県は、更に先進的で、2040年までに必要電力量を再生エネルギーで賄えるようにするという「福島新エネ社会構想」があります。再生エネルギーを推進する必要があるわけですが、そういう産業がいわき市から起きています。それをモデル的な取り組みとして、全国に広げていくことが出来ると思っているのです。

森田　私は、若い時から旅で生きてきました。全国、隈なく何十年にも渡り地方を観察してきましたが、福島というのは非常に魅力ある優れたところです。あらゆるものを持っている地域です。確かな歴史を刻んできました。福島県人は謙虚で、「俺のところは一流なんだ」と言わずに控え目に生きてきました。地味なイメージですが、非常に豊かな土地です。10年前の震災、津波と原発事故の三重苦を復興して乗り越えられれば、「希望の都市」になるでしょう。その意味で「いわき」という土地は非常に重要な地方都市だと思います。

内田　森田先生は、かつて、学校法人・昌平黌の緑川浩司理事長との対談で、いわき市のこれまでの産業・歴史・文化などの知見を体系化した「いわき学」の確立を提唱されていました。私も心から共鳴をしました。いまの若者はどんどん都会に流出してしまっている現状があります。しかし、いわきには誇れる偉人、歴史、産業、文化、食べ物など、素晴らしいものはいっぱいあるのですね。それらを「いわき学」として体系を作り小学生や中学生の時から、学校教育の中で、他教科の一部を割いてでも良いのですが身近に触れてもらう。そのことで「自分たちのいわきはすごいんだ」となれば、いわき市に定着してくれたり、いったんは都会で挑戦をするためにいわきを離れたとしても、後々、いわきに戻ってきたり、県外にいながらにして、いわきをバックアップしてくれる方々が増えるのではないでしょうか。

森田　いわきは東北の最大の拠点だと思います。震災で仙台や石巻をはじめ、随分と被害を受けたところがありますが、いわき市は原発事故まで含めた大きな重荷を背負った都市です。非常に重要な土地であるが故に、復活した時の影響は、はかりしれないほど大きいと思います

内田　なるほど。逆につらいところにいたから起き上がった時のパワー、そして、底力が大きいということですね。

森田　しかも、かなりの人口規模ですし、力があります。非常に大事な地方都市であり基礎自治体です。

内田　人口は約33万人で、東北では仙台に次ぐ大都市です。ただ、その大都市も災害に見舞われて厳しい状況になっています。「国土強靭化」について森田先生は、ソフト面の大切さについて、先生の著書である『防災・減災に資する国土強靭化政策が日本を救う！　地方再生に挑戦する人々』

の中で、小田原市の自主防災組織の先進事例を紹介していました。やはり自主防災組織などを作り、集会所ごとにやっていくことが今後の取り組みとして大切です。「災害の事前の予防のモデル都市」ということも掲げて取り組んでいくべきだと思います。

森田　民主党政権の時に「コンクリートから人へ」という政策が提唱されました。私は鳩山由紀夫総理の政策は間違っている。『人もコンクリートも』というようにやるべきだと主張しました。この議論の最中にあの「3・11東日本大震災」が起こり、大きな被害が出てしまいました。

そのころ、京都大学大学院の藤井聡教授が文春新書で『日本列島強靭化論』を書きました。この藤井氏の著書が、政治の流れを変えるきっかけになりました。私はかつて小泉純一郎元首相の時代に、『公共事業必要論』を書いて「公共事業をどんどん切ったのでは日本の未来はない。一番大事なのは雇用であり、みんなが働いてこの世で生きていくことが大事だ」と訴えたのですが、与野党ともに公共事業反対の流れを変えることが出来ず、敗れました。

藤井聡教授は、「国土強靭化」という新しい言葉を使った。この藤井学説を、いまの衆議院議長の大島理森氏が自民党の幹事長の時に目を付け、「二階俊博さん、調査会長をやってくれ」ということになりました。しかし、初めは人が集まらなかった。二階会長と林幹雄副会長と福井照事務総長の3人だけでした。それがだんだんと拡がっていきました。また公明党の「防災・減災ニューディール」と結合し、「防災・減災・国土強靭化」という法律をつくり、予算も組むことが出来るようになりました。

私は、いまや強靭化という意味はハードに限らず人類文明の強靭化、人間精神の持ち方まで拡げるべきだと思っています。ただ、いまだに、「物」にこだわる考えが根強く「精神の強靭化」というところまでは行っていません。精神のことをあまり意識してこなかったことが背景にあると思います。文明論の世界に我々は踏み込まないといけないと私は思っています。

内田　3年ほど前、文部科学省にいた時に、国の教育振興基本計画を作る仕事をしました。当時の菅（義偉・現首相）官房長官のところにもご説明に行き、今後5年間の計画を作ったのですね。当時その時に「防災・減災」という観点で、国交省とも交渉して「国土強靭化」という文言も入れたのです。最初、国交省は建物だけを想定していたのですが、やはり人の部分における災害予防・防止という文脈も入れて欲しいとお願いをしました。だいぶ調整に時間が掛かったのですが、防災教育の重要性を入れてもらえることになりました。

もう一点、国土強靭化や危機管理の面で考えるところがあります。一昨年の台風19号被害を受けて、氾濫した堤防の整備などをこれまで進められてきています。氾濫したところの修復は、しっかりとこなしてきているのですが、それが済めば、今後はその下流のところで氾濫することも起こり得るのです。上流が強化されたので、今度は、下流が川の流れに対して脆弱になってしまうことが起こります。その辺がまだ十分ではないのではないかというところがあります。

災害を事前に防ぐという意味では、森田先生がお話されたようにハード面も十分に予測しながら、決壊したところを元に戻すだけではなく、今後、災害が起きそうなところもしっかりと防波堤を整備していく必要があると思っています。

命を守る意識を東北から学ぶ

森田　2月13日の午後11時8分に地震が起こりましたが、東京でも久しぶりの大揺れでしたから福島、宮城は大変だったと思います。その後ニュースを見ていると10年前の大震災の体験が生かされ、命だけは守ろうという意識が強く、生活を改善し命を守り抜いたということを知りました。これはすなわち、精神の強靭化ではないかと思います。改めて我々は東北に学ぶべきだと思いました。東北の体験はいろいろなことを国民に教えてくれました。10年前の体験から、命だけは守ろうという生活の知恵が確立されてきていることは、非常に貴重なことだと思います。東北地方以外の地方の人々は、東北の人々から、多くの知恵を学びました。

内田　その精神の強靭化という点ですが、東北地方でも、地域によってきちんと出来ているところもあれば、厳しいところもあります。私は岡山県で働いていたことがあります。2018年には、西日本豪雨災害が発生し、岡山県の倉敷市では50人以上が亡くなっています。そのため、同市では次の災害では「死者を必ずゼロにするんだ」という目標を掲げて、集会所ごとにお年寄りも若者も一緒になってLINEの番号まで交換して、何かあれば瞬時に安否確認し、救出をするような訓練をしているのですね。

東北でもそういうレベルまでになっているところもあれば、これからだというところもあります。ぜひ、みんなの記憶があるうちに、マニュアル作りだけではなく、しっかりとした事前のシミュレーションを公民館、あるいは集会所ごとにやるなど、モデル的なことをやっていかなければなりません。マニュアル通りに進まないのが災害です。臨機応変にどのように動いていくのかというところまでの訓練が必要です。

森田　1970年代、石油危機のあと、イギリスで「サッチャー革命」が起こり、サッチャーが強大な政権を築きましたね。その後を保守党のメジャーが政権を引き継ぎます。この「サッチャー・メジャー政権」は非常に強力で、再び労働党の時代は来ないのではないかと思われていた時に、労働党の若いブレアが登場した。ブレアは中道政治を提唱するとともに、教育重視を打ち出して、エジュケーション、エジュケーション、エジュケーションと繰り返し、叫び続けました。「エジュケーション、エジュケーション」と演説して、全国を回ったのです。それで世論は変わり、ブレア労働党政権が出来たのです。

しかし、ブレアはその後ブッシュのイラク攻撃に同調し、偽情報に騙されたとして、いまは信用がなくなり失脚してしまいましたが、労働党がもう見込みがないと言われていた時期に、ブレアは「エジュケーション」を言い続けて強大な保守党政権を倒した。「エジュケーション」が当時のイギリス人の心に響いたためです。これから日本でも、いわき市でも同じことが起こると思います。

内田　文科省から秋田県に出向した経験があります。秋田県は全国学力学習状況で常にトップであり、「教育日本一」として知られています。当時、特に課題だった高校教育の底上げを図りました。着任時は、東北で最下位だったような状況でしたが、財源を投入し、人事でも思い切った若手登用をしたり、中央から人を招聘したりして、ぐんと成績を引き上げることに成功しました。いま文科省がやっている学力調査はドリル的な問題を解けるというものではなく、新聞を読んで、「この記事にふさわしい題目を考えて付けてみましょう」とか、たくさんある情報から、ポイントを要約することを測る調査です。その調査で秋田は点数が高いですが、日々の学校の授業で、そうした思考を問う実践がなされていることが背景にあります。更に、秋田は3世帯家庭も多いのですが、学校だけではなく、家庭でも、おじいちゃん、おばあちゃんが孫の日々の生活に深く接しているわけです。

森田先生が書かれた前述の『名言123選』の中にも「過ちて改めざる、是れを過ちと謂う」という孔子の言葉があります。私は、いつもその言葉を教育に当てはめて考えています。自分自身の子育てを振り返ってみてもそうなのですが、親とすれば、ややもすると「うちの子供は、将来サッカー選手かな」とか「水泳のプロになれればいいいな」などと思ってしまいがちです。しかし、大事なのは目に見える枝葉の部分ではなく、土に潜っている根っこや幹の部分だと思うのです。つまり、スポーツの立派の技術の根っこには、基礎的な体力があるわけです。そして、そのたくましい身体のベースは、たくさんの経験で成り立っています。たくさん失敗して転んで擦り傷を負ったり、火傷したりしながら、自分の体を修復していく中で強さを形成していく。やはり、教育の根っこというのは土の中に眠っている部分や幹であり、そこは「過ちて改めていく」ことを通じて、繰り返して学んでいく部分だと思います。それが教育の根幹だと考えています。

今年は再び論語を学ぶ1年に

森田　NHK大河ドラマで今年、渋沢栄一が始まりました。いま渋沢栄一の『論語と算盤』が、現代訳まで含めて多くの人に読まれていますが、良いことです。論語をいま一度、日本人はこの1年間勉強することになると思いますね。

内田　いいですね。大河ドラマとても楽しみにしています。

森田　これは日本の将来にとって、非常にプラスになると思います。中国・宋の時代、朱子学を起こした朱熹が儒教の中興の祖と言われた人ですが、彼は儒教の基本文献として「四書五経」を挙げてました。四書というのは「論語」「孟子」「大学」「中庸」です。どうしてこれを選んだのかというと釈迦に説法ですが、孔子から彼の晩年の弟子である曹子、曹子の弟子の孔子の孫・子思、その弟子の孟子へと、孔子の思想が孟子まで伝達されたということで「論語」「大学」「中庸」「孟子」が四書になりました。私は中国山東省曲阜市の孔子の墓に2度参拝したことがあります。孔子の墓の隣に息子の孔鯉の墓があり、更にその隣に孫の子思の墓があるのですが、孫の墓が孔鯉の墓より大きく孔子の墓に匹敵するほどです。親よりもはるかに大きいのです。いかに子思が儒教の歴史において重要な存在だったか。墓を見て改めて思いました。

その子思が編纂したと言われるのが「中庸」です。「中庸」は、実は孔子哲学の中心を成すものです。この「中庸」については、アリストテレスも「中庸」を重視していますし、釈迦も「中道」を強調しています。「両極端は良くない、真ん中が良い」という点で共通しています。

孔子の「中庸」は2つの部分からなっています。一つは「中」が大事であり、「時に中す」――あらゆる場面で真ん中がいいと。実は「中庸」の一番初めの言葉は、人間がいろいろな感情を持つ前の状態がすなわち「中である」。つまり、いまの我々の言葉でいうと「無の心境」になっている状態が「中」です。ですから、余計な怒りとか恨みなどの感情を持たない状態こそが「中」なんだと『中庸』の冒頭に書いてあります。これはかなり本質を突いています。

『中庸』の後半部分の中心は「誠」です。「中」以上に強調しているのが、「誠」です。「正心誠意」に生きることを強調しています。

勝海舟の談話筆記『氷川清話』の中で、「政治の要諦は正心誠意の一言に尽きる」という有名な言葉があります。いま我々が使っているのは「誠心誠意」です。これは「誠の心と誠の意思」です。勝海舟は「正しい心の誠の意思」と書いていますが、基になったのは「中庸」です。

この「中」と「誠」とセットなっているのが儒教の精神です。これは礼儀を書いた『礼記』の中にずっと含まれていたのですが、朱熹が重要なものとして一冊の本にしたことで、孔子の孫の子思が大きな存在になったのです。「中」と「誠」こそが儒教の本当の精神だと、『中庸』は主張しています。いま、そうした精神を持つリーダーが求められています。

内田　前職は国家公務員として、国の機関におりましたが、行政におりますと政治的な圧力でこうした方がパフォーマンスが上がるとか、特定の団体や企業から、特別に予算で配慮して欲しいという要望が出てくることがあります。ただ、私なりの理解では、「中庸」というのは国民全体の利益から考えて、何が論理的に一番正しいのかを、理屈立てて考えて出した結論が「中庸」だとずっと思っていました。経験上、そのような過程を経て決断したことは、一時的には、利害関係のある方からお叱りを受けることがあったとしても、長い目でみて理想的な政策になっていくことが多かったです。私なりの「中庸」についての解釈は、間違っていないでしょうか。

森田　その通りだと思います。重要課題を決める時に心を無にする。だから、いろいろな怒りの感情だとか、あの人に意地悪をされたとか、そういう雑念を全部去った状態が「中」だということを意識して実行出来れば、それは上杉鷹山の境地です。

内田　なるほど、そうですか。私なりの解釈が誤りではなくて良かったです。

私はずっと剣道をやっております。常に無心を目指して稽古の前に黙想して稽古に臨むわけですね。「至誠通天」という言葉がありますが、心を無にして「誠」を追求する。そういう気持ちでいると天に通ずるものがあるのだという気持ちを持ち続けたいと思います。

森田　剣道は戦後、占領軍によって一時禁止されました。私は小学6年生の時、まだ戦時中でしたが黒胴でした。戦後、剣道が禁止になったので一時、柔道をやりました。大学1年生の時は柔道部に所属していました。剣道と柔道には少し違いがあります。剣道は最初に構えた時に「無」になります。精神が「無」、「純粋」になります。

内田　戦後、占領軍が戦前の反省に立って一時禁止にしたということですか。

森田　そうだと思います。論語も孟子も禁止されました。論語は公的教育では禁止されたのですが、日本人の心の中に生きていたので、影響力の低下はみられませんでした。しかし、孟子の影響は低下しました。占領軍によって禁止されたものはいろいろとありましたが、禁止しても禁止しきれなかったものの一つが論語でした。東洋医療もそうです。制度的には禁止されたが草の根で生きていました。剣道も復活しました。剣道は最高の教育のツールだと思います。

苦労を希望に変える役割を

森田　文明論も大きな転機です。コロナは世界中の人間の考え方に影響を与えています。

内田　文明論という意味でもそうですか。

森田　大きな転機です。「コロナ禍」は一言でいえば、人間が自然に対する謙虚さを失って、傲慢になったら人類はお終いになるんだ、ということを教えているのです。

内田　いままではグローバリズムという考え方に代表される世界スタンダードがあり、日本も、それに打ち勝っていくんだという経済至上主義の部分があったと思うのです。しかし、これだけコロナ渦で行き来が出来なくなってくると、やはり一つのまとまったエリアの中で経済も政治も行政も完結していく仕組みを作っていかなくては生き残ってはいけないと思います。

従いまして、地域振興という意味では、先ほどの上杉鷹山の「口紅」とか「小地谷ちぢみ」のような地場産品・地場産業の出番になります。アジア圏に安い労働市場を求めたり、安い果物や野菜などを外国から輸入したりするということではなく、その地方の強みは何なのかをきちんと発見しながら経済圏もその中できちんと回していくことが大切です。コロナによって社会全体が、そのように変化してきていますよね。

森田　農業も日本の国民が自分の土地で生産された農産物を食べて生きていく。これが原点だと思うのです。これから人口が少なくなれば農業生産力が人口減少の中で余りますから、そうした農産物は輸出していく。私は日本の農産物は非常に優れていると思うので、価値があると思います。世界的に大きな価値を持っています。ただ、日本国民が日本の農民の生産物によって生命をつないでるということを、もっと広げていきたいと思います。

内田　東北地方でも農業はどんどん衰退化しています。畜産も林業もですが、そこをどうやって息を吹き返すかが要だと思います。

いま、特に若い世代は、ＮＰＯを立ち上げて、地域のため、人のためになることをしたいという方々が増えてきています。いろいろなところでＮＰＯを作って地域おこしを行っておられます。

例えば、そういった方々に、山村に入って頂き、高齢化して担い手がいないと悩んでいた方々の仕事をお願いして集約化し、農業を企業経営に近い形で行って復活させ、そこでしか採れない農産品を、ＳＮＳなどを活用して発信していくようなことも考えられるかなと思っています。

私が前職で働いていた福島大学では、食農学類という福島の食べ物の可能性を磨いて発信していく学部が一昨年出来ました。例えば、福島県の発酵醸造の食品は、日本全国で見ても技術も伝統も素晴らしいものがあります。それらを総合的に研究して発信していく研究所も設置され、今後、発酵醸造分野を学びたい人が集まってきています。また、再生エネルギーでも、企業誘致や研究所設置も進んでいます。

国も復興庁が、震災後10年が経過して残りの復興創生期間5年間の目玉として国の研究機関として国際教育研究拠点を立ち上げます。そこにスマート農業や、再生エネルギー、廃炉の研究所を造るのですが、例えばそういうものをいくつかの市町村で結束しながら、未来を見せていくというようことが出来るのかなと、いま先生の話を伺いながら感じています。

森田　いまは本当に時代の大きな変わり目です。私は、「いわきに行けば、自分の人生に希望が拓ける」というものが出来れば、全国からも世界からもいわきに集まってくると思います。例えば、明治初頭、札幌農学校に行けば自分の未来が拓けるかもしれないと全国の英才が札幌に集まってきたように、何かそのような受け皿が出来れば可能になります。いわきには、魅力ある受け皿になるものを創れる基盤があると私は思います。いわきには三重苦、四重苦を背負っている歴史があります。もともと相当、力のある地域ですから。

内田　なるほど、その通りですね。

森田　福島県民は人一倍、苦労しているわけですから。

内田　マイナスからゼロに戻るというより、そこから何か新しい希望を生み出していけるといいですよね。廃炉産業などと言葉で聞くと暗いイメージがありますが、若い人たちもネガティブなイメージがあるのですが、廃炉を研究する中で生まれるロボットや遠隔操作の技術というのは、宇宙産業などにも発展するのですね。廃炉研究は、新しい宇宙産業にもつながるのだというメッセージを、明るい形で若者にも伝えていく必要があるのかもしれないですね。

森田　実は10年前から、溜まっている放射能を分離する技術について、いろいろな方々が研究に取り掛かってきています。私もいくつか相談を受けたことがありますが、もしこれを可能にする発明が為され、技術が出てきたら福島は脱皮出来ます。そういう努力を10年間、地道に見えないところでやっている方々はかなりいます。まだ成功していないし研究の途中ですから表に出てきていないのですが、これがもし解決出来たら、福島は科学技術の中心地になります。

内田　そうですね。そういう技術を求めて、国内だけではなく世界から集まってくることになりますね。

森田　放射能汚染を克服出来る技術の研究は10年間やって、失敗を繰り返しているのですが、これがどこかで、キュリー夫人のように突き抜けることが出来たら、すごいことです。そういう可能性も、私はないことはないと思っています。

未来を見据えた「地域づくり」を

内田　森田先生は、以前、シンポジウムの講演で、「いまの文明は3000年、4000年前に文明が起きたところで起きているわけではは必ずしもなくて、苦難を経験し、逆境にあったところから生まれたものもある」と指摘されています。苦難を経験した東日本大震災の被災地から、苦難を乗り越えて新たな文明が生まれるというストーリーは、すごくインパクトがありますね。

森田　人一倍、苦労した土地には何か貴いものがあるのです。例えば天草などは、天草の乱からいろいろな苦痛を味わってきた。そこには何かある。長崎、広島にも何かある。いわきにも何か貴いものがあると思います。その何かは人類文明をリードする力になると私は思っています。

内田　私も15年ぐらい前、パリのユネスコで働く機会があったのですが、フランスに行く前は、取り立てて好きな国でもなかった。（笑）しかし、実際に2年間住んでみると、いろいろなところで芸術のインスピレーションを感じる時がありました。うまく説明出来ないのですが、創作意欲、ものを創るエネルギーのようなものです。やはり、その土地にはその土地にしかない目に見えない力があるのかなと感じることがあります。そういうことと一緒なのでしょうか。

森田　私は中国・山東省の山東大学へ行き、1週間ほど滞在して毎日講義しました。私が知らないうちに、教授会が私を名誉教授にする決議をしました。いまも名誉教授です。その後、時々、山東大学へ行っています。山東省は、孔子、孟子、孫子、諸葛孔明が出た土地です。その前には神話的な人物の舜も出た土地です。その土地が持っている独特の力があります。自分の土地に対する強い誇りのようなものがあります。人口は約1億人です。北京と上海の中間にあり、がっちりとした力を持っています。中国人民軍の中心地でもあります。

私は、いわきにもそういう力があると思います。この10年間の苦労は大きなものです。その前の歴史も大変立派なものです。そういうものが今後の文明のリーダーになっていく力なのだと思います。

内田　それがまさに「いわき学」につながっていく。

森田　そうです。儒教を建学の精神にしている大学は国内外にいくつもありますが、日本で代表的なのは東日本国際大学です。韓国では６００年の歴史がある成均館大学、そして中国の山東大学です。山東大学は１９００年に設立した国立大学で、規模は非常に大きいです。６万人ほどの学生、職員がいて、敷地も非常に広いですし、大学構内に立派なホテルもあります。大勢の海外からの研究者などが、そのホテルで生活しているような立派なものです。日本では構内にホテルのある大学などありません。この日中韓の3大学が一緒になってセミナーをやっています。私も何回か参加しています。そういう国際的な活動が今後は価値を持ってくる時代だと思います。

東洋と西洋が対立的に別のコースを歩んできた時代は終わりにしなければいけないと思います。

東洋と西洋とが融和し、「中」と「誠」の論理で、これからの人類の思想、文明を作り上げる時期に来ているのではないか。その中で東日本国際大学は、非常に重要な位置を占めていると思います。

内田　東日本国際大学では、孔子の教えに基づいた人間教育を、緑川浩司理事長、吉村作治学長の下で展開しております。いま、森田先生がおっしゃられたような意味で、本学がとても重要な位置を占めていると実感します。いわきの中で文明論や孔子の教えと結び付いて、それがいわき市の歴史・文化とも更に絡み合って体系化していくことは、今後、重要なことだと思います。私も東日本国際大学の地域振興戦略研究所の所長として取り組んでいきたいと思います。

いまはコロナ禍の中で遠隔授業も出来るようになりました。先ほどお話しがありました新しい廃炉の技術の中で発明的なものが生まれたとか、それに近いような状態になっていることについても世界に発信しながら、また、実際に国内外から多くの人に来て頂いて、知ってもらう。

それから、いまの若者たちは人間関係が希薄になっているという話を聞きます。私のころは、剣道を通じて、それこそ厳しい鍛錬で、ある意味スパルタ教育で、結果的に人間関係が鍛えられました。森田先生の時代は更に厳しい人間関係の中で揉まれている部分があったと思うのですが、いまはなかなか、そういうチャンスがないし、いきなり教育の中でスパルタをやれば、すぐに問題になってしまいます。ですから、そうではなく文明論や対話で世界を創っていくとか、人と人の対話によって新しい価値を作っていくというのが「いわき学」と結び付いていくことが、東日本国際大学の教育の魅力にもなってくると考えています。更には、中国、韓国の大学とも結び付いて取り組んでいければ、もっと素晴らしい教育が出来るようになると思います。

森田　本日は、文明論も交えつつ、地域振興の在り方、教育、雇用、医療など、有意義な意見交換が出来ました。ありがとうございました。東日本国際大学の地域振興戦略所長として、いわきをはじめとする地域振興の戦略を練って頂ければと思います。「21世紀の米沢藩」と言われるような地域づくりを期待したいと思います。

内田　いいですね、「21世紀の米沢藩」。本日は、論語や文明論から、これからの地域づくりについて、森田先生から数多くのヒントを頂きました。本当にありがとうございました。

東日本国際大学の地域振興戦略所長としても、本日頂いたたくさんのヒントを踏まえ、いわきをはじめとする地域づくりの戦略を研究し、実践していきたいと改めて実感しました。本当にありがとうございました。

4 いわきの医療・人材育成・地域振興を見据えて

石井正三（東日本国際大学健康社会戦略研究所所長）
内田広之（東日本国際大学地域振興戦略研究所所長）

東日本大震災と福島原発事故から間もなく10年を迎える。㈻昌平黌・東日本国際大学は、この災害の現場から最も近い大学として、いわき市を含めた地元にどう貢献出来るかを様々な角度から追求してきた。同大学の石井正三健康社会戦略研究所所長と内田広之地域振興戦略研究所所長に、いわきの医療と人づくり、地域づくり、そして地域連携や危機管理について大いに語り合って頂いた。

地域医療・災害に現場主義で取り組む

石井　今回、内田さんが本学の地域振興戦略研究所所長に就任されました。本学にはいくつかの研究所があり、非常に高名な方々がいらっしゃいますが、その中でも地元の人間で所長を拝命したのは私が初めてで、内田さんが2人目になると思います。まずは、地域振興戦略研究所長にご就任されたところで、その思いや考え方についてお伺いします。

内田　錚々たる方々が研究所におられる中で、今回、地域振興戦略研究所の所長として就任させて頂くことを大変うれしく思っています。

いわき市をはじめ、どこの自治体も同じだと思いますが、いろいろな課題を抱えています。例えば人口減少です。いわき市の人口は現在、33万人余りですが近い将来、２０６０年には15万人ぐらいまで減少すると言われています。若者の人口流出が非常に進んでおり、高校を卒業した時点で6～7割の若者が都市部に出て行ってしまうという課題もあります。10代から20代の人口を差し引きますと、約４０００人減ってしまいます。その中で今後、いわき市全体が活気付いていくための手立てを施していかなければならないという思いがあります。その意味で本学の地域振興戦略研究所は、いわき市を核とした地域振興のあり方、その戦略を練っていくという素晴らしいコンセプトの研究所だと思います。いわき市の課題を受け止

石井正三さん

めながら戦略を練っていきたいと思っております。

石井　人口減少社会のお話がありました。実は、私の研究所で客員教授でもある河合雅司さんは人口論の専門家で、ベストセラー本も出しています。最近の本を読むと、「いろいろな政策の正解は国にも必要だが最後はやはり地域なのではないか」という論点を展開しているように見えます。つまり、ちょっと古いドラマの名セリフで言えば、「すべては現場にある」と。現場で物事に対処して解決出来るかどうか？ それをどこまで出来るかが改めて我々の目の前に提示されているのではないかと思います。

後ほど詳しく触れたいと思いますが、２０１１年3月11日に東北を襲った東日本大震災・津波・原発事故（Triple Disaster）では、世界に類を見ない初めての事象に見舞われたわけです。それ以前の課題もいろいろありましたし、その後の10年は人類が直面したことのない事象に直面し、模索しながら解を求めてきたのが、いわき市を含めたこのゾーンの現状だと思います。

本学は、この災害の現場に一番近い「オンサイト」の大学として果たすべき役割があるだろうと大学の先生方とお話しさせて頂いています。「いわきをどうしよう」ということと、「いわきを含めたもうちょっと広い概念の中でどうしていくか」ということですが、内田さんは日本を全体から、また、日本の外からもご覧になって、改めてこの現場にかかわりたいという姿勢をお持ちですので、そのあたりをお聞かせください。

内田　まさにいま、石井さんがお話しされた東日本大震災・津波・原発事故を基にした課題は世界に前例がないものです。従って、答えは一つや二つではなく、当然、教育や研究の姿も変わってくると思います。いままでなら机に向かって書籍を見たり、他国の事例を見て参考にしながら「答えはこうだろう」とある程度、答えが想定出来たのですが、現場に出て行ってもそこに答えがないという現象だと思うのですよ。そこでアクティブラーニングのような形で、一個一個の課題と向き合い自分なりの仮説とか、「これはこうかな?」「違うな」ということの繰り返しの中で正解に近付いていくということだと思います。

私は15年前にフランスのユネスコにおりました。いま、世界の教育への取り組みを見ますと、OECDなども同じような考え方ですが、現場に入って行って、とにかく課題と向き合い解決策を模索するという流れになってきています。

その中でいわき市は、いまお話された課題があって、世界的な共通課題も災害によって急速に進んでいるエリアだと思うので、教育や研究のフィールドがたくさんあります。それをそのまま捉えると、課題先進都市とか課題が多いというふうにマイナスに捉えがちですが、反対に大学人の立場として見れば、そこに世界の課題解決につながるようなヒントも埋まっているし、新発見につながるケースもあります。今回研究所長となって、そういう逆境をプラスに変えていくという視点で研究に取り組んでいく必要があると考えております。

また、文科省での経験と関連しますが、昨年度から学習指導要領が改訂され、小学校、中学校、高校の新しい教育のコンセプトとしてもアクティブラーニングが重視されます。解のない問題に向き合って試行錯誤する学びが今後、大事だという理念を国も普及させようとしています。こうした学びを体験し、そこで新しい解決策を見出せるフィールドがいわきや浜通りには数多いと思います。

その意味で原発から一番近い大学として、本学からヒントや解決策を見出すことによって、世界の様々な課題解決につなげられるよう目指していきたいと思っております。

「いわき学」をともに追求していく！

石井　いまのお話で私たちの置かれた立場やいわき市の現状への認識が少し深まったと思います。そこで改めて、いわき市を含めた地元にどう貢献出来るかということを考えれば、例えば、いわき全体を考えるという「いわき学」というような構想を一緒に追求することが出来れば、問題解決につながる様々なきっかけになると思うのですがいかがですか。

内田　「いわき学」の構想に大きく賛同致します。いわき市にはたくさんの魅力があります。様々な歴史や食べ物、自然の美しさや史跡などもたくさんあります。それらを専門的に研究される方はおられると思います。他方で、専門家ではない、あくまで一般のいわき市民の方々、例えば小学生や中学生世代も含め、いわきの素晴らしいところを教育の中で「いわき学」として体系化されたものを学ぶことが出来ると、その後の人生が非常に変わってくると思います。

私は文科省時代に他県の自治体で教育行政の仕事にも携わらせて頂きました。教育県と言われる岡山県で働いていたこともありました。岡山県には、閑谷学校という、江戸時代に日本で初めて庶民にも開いた歴史のある藩校があるのですよ。論語を中心に文化づくりをしてきた歴史があるのですが、地域に根差した「閑谷学」としてパッケージ化して、子供のうちから地域おこしや、伝統芸能・祭りなどを体験しつつ、地域に入り込んで課題探求活動をする取り組みがありました。事例を上げますと「空きスペースになった銀行をどう使うか」みたいなことを、高校生や地元に住む大学生が地域のお年寄りなどと世代間交流を兼ねて議論していくのです。世代間を越えた意見交換の中では、「年金で暮らしていて時間がある方が昼間ボランティアでカフェをやろうか」、「放課後は高校生が手伝いしよう」とか、「壁には自分の孫が作った作品を飾ろう」というアイデアが出ます。それで空いた銀行に世代間交流のスペースが出来ました。こういった経験をした子供たちは、将来、学校の先生になりたいとか、役場で働きたいとか、農業をしながら民間企業で働きたいなど、大人になってから地元に戻る流れが出来始めています。

小さいころに地域の様々な財産に触れた人たちは、広島県でも島根県でもそういった事例を聞いたことがあるのですが、地元に戻ってくる流れが出来ているようです。高校を出てすぐ、都会に出て勉強したいとか仕事をしたいという憧れは若者が持つ当然の気持ちだと思うので否定は出来ません。

ただ、一つの根っこの種として故郷に対する経験や思いがあれば、仕事をしていく中で「都会の生活に疲れた」とか「転職したいな」などと思った時、子供のころに蒔かれた種が開花して「地元のために貢献したい」とか「戻りたい」ということになると思います。そういう意味で、「いわき学」は大賛成です。

石井　岡山県には「桃太郎」の伝説があり、倉敷という伝統のマチもあって、昔の姿をそのまま残した風致地区に大原美術館があり、その周りにはお茶とおいしいお菓子がセットで置いてあるなど工夫や配慮が溢れていて、楽しかった思い出がありますね。

例えばいわきには「安寿と厨子王の伝説」や「羽衣伝説」などがありますし、奥州藤原三代の文化をいまに残した国宝の白水阿弥陀堂もありますね。いわきには昔からの伝統といろいろな交流の歴史があったわけです。また、国のエネルギー政策をどうすればいいかを原発事故の問題と一緒に考える時には、発想の種として、富国強兵の時代に日本の三大炭鉱と言われた常磐炭鉱を興して国に貢献したという記憶も残っているわけですよ。それぞれの地区には、そういうものの姿が刻印されていますから、もう一度一緒に考え人のつながりを見付けていけば、子供たちも自分の地域がどういう歴史を持って世界にコミットしたかが実感出来ますね。

先進地事例に学ぶだけでなく、世界初の問題解決をしないといけない時には、まずはそういうことも含めた厚みのある取り上げ方をすれば、内田さんのご専門の手法や人脈が生きてくると思います。

内田　まさにその通りですね。いま石井さんがお話しされた常磐炭鉱や白水阿弥陀堂といった歴史のストーリーに結び付けると、自分たちの根源がどこから来たのか、自分たちの先祖がどういう努力をしてきたのか、そういうところから、地元に愛着を持つきっかけになると思いますね。

歴史の中では、幕末で老中を務めた平藩主の安藤信正公という、いまで言えば内閣総理大臣のような立場の方がいましたよね。高校の歴史の授業で「坂下門外の変」を触れる時には、彼のことを1時間、2時間取り上げてもいいぐらいの人物なのですが、高校の授業の中では素通りだった気がします。（笑）彼のことは、大人になってから「こんなすごい人がいたのか」と知ったのですが、例えばそういうのでもいいと思っています。

子供たちの感性を刺激するストーリー作りを

石井　ちなみに、北方四島の問題がいまだに解決していないのは、安藤信正公が解決しようとしたものの途中で中断されてしまったのだと思います。
内田　そうだったのですか。
石井　国境線の画定などが中途半端になってしまい、そのことがいまだに尾を引いている、と私は思っています。
内田　確かに安藤信正公が大変な外交官だったことは、いろいろな歴史文書に書かれています。内政だけではなく外交にまで手腕を発揮したと──。
石井　しようとしていたわけです。（笑）

内田　英国の公使館焼き討ち事件があった時の調整などでも、自ら先頭に立って命を懸けてやった。そういう人がいわきにいたというのは、本当にすごいことだなと思います。

石井　明治維新後のことで言えば、ボストン美術館のキュレーターも務め、「アジアは一つなり」の言葉でも知られている岡倉天心がいます。彼は東京芸大の初代学長をクビになったあとこのあたりまで見に来ていて、良い場所だということで北茨城に拠点を造ったという噂もあるぐらいです。ですから、北茨城市にある天心記念五浦美術館に行くと、いわきの景色がよく見えます。

内田　そうだったんですか。まだ行ったことはないので、いずれ観てみたいですね。

石井　何なら時間さえ合えば、ぜひご案内します。（笑）ですから、日本の美術をイノベーションしたそういう国際人が最初にいて、その後、ボストン美術館にアジア担当として招聘されるわけです。いまでもボストン美術館には日本庭園が残っていて、艶の良い仏像や浮世絵など国内で見ることが出来ない素晴らしいコレクションも残されています。これは岡倉天心の見識です。日本が一旦、ごみ同然に捨てようとした時に、彼はちゃんと確保していた。残念ながらアメリカにあるのですが、それを橋渡しすれば――。いまボストン美術館の橋渡しをしているところは名古屋にあります。しかし、いわきにも美術館があるわけですから、天心美術館と一緒にこちらから交流のオファーをすれば、彼らも話に乗る可能性はあると思っています。そうすれば、例えば日本の浮世絵の最上の作品を、いわきの子供たちに見せることも出来る。

内田　いいですね。確かにボストン美術館には日本コーナーがあり、日本画や浮世絵など非常に充実していますね。私がフランスにいた時、あちらは油絵が主流ですから、日本の浮世絵や版画、水彩画などについて、外国人の方はあまり知らない人が多かった。一方、ボストン美術館に行ってみると、どうしてこんなにも充実しているのかなと不思議に思ったことがあったのですが、そういう背景があるわけですね。

石井 我々は、意外と身近なものとつながっているのですよ。

内田 つなげてストーリー化していくのはいいですね。

石井 野口英世はニューヨークですからね。同じ医師として私の大先輩と言うと口幅ったいのですが、彼は人々の健康を一生懸命取り組んでいたら、いつの間にか猪苗代からロックフェラー研究所まで行ったわけです。

ですから、我々の持っている身近なもの、現実というものは、決して孤立したものではなくて、解決をいろいろと求めていけばつながっていくし、またつないでいった先人たちがいるわけですよね。

内田 いま思い出したのですが、私が文化庁で働いていた2013年、実はいわき市が「文化芸術創造都市」の文化庁長官表彰を受賞しているんです。あまり知られていないのですが——。ユネスコでは、文化芸術でマチを盛り上げていこうとしている都市をネットワークでつなげ、ストーリーづくりでお互い協力したり、ノウハウを共有したりする取り組みがあります。「文化芸術創造都市」はその日本版として、文化庁が2004年に作った制度です。

いわき市には常磐炭鉱がありましたが、その後、閉鎖された時に、フラガールが生まれた。そして、フラガールをきっかけにハワイともつながり、文化交流が起きた。また、いわき芸術文化交流館「アリオス」は、他県で国内随一の文化ホールを手掛けた方が、いわき市とのご縁があり、防音や音響など国内最先端の設備を整備することが出来た。遠距離の都市や人とつながり、新たな文化芸術を生み出す活動が評価され、文化庁が毎年音頭を取っている表彰にいわき市が選ばれました。当時の青柳正規・文化庁長官も、いわき市に来てくれました。

いま石井さんが言われたように、例えば岡倉天心を切り口として、世界や日本の北茨城の美術館とつながっていく。そういったストーリーを作っていけると、子供たちの文化度も高まっていくきっかけを作ることが出来るのではないでしょうか。

石井　子供たちの感性が刺激されると思います。モノの見え方が少しだけ変わってくる、それが大きいと思います。先ほど農業の話もありましたが、いわきの自然には北限の植物、南限の植物が混在していて、一方で海を見渡すと、親潮と黒潮が出会う世界でも稀な豊かな潮目の海が目の前に広がっているわけです。原発事故を含めて大変な目に遭ったわけですけれど、もう一度、この災害のベールを剥がしていくことが出来れば、我々の目の前にある自然は、非常に豊かなもののはずなのですよ。

カボチャやナスなど、京都の野菜は形が独特で面白いし、おいしいです。それで「京野菜のようなものはこのあたりにないの?」と農家の方に聞きますと、「実は固有の作物はあります」と仰る。では、「それをブランド化してうまく出来ないの？」と更に尋ねてみると、決まった箱に入りやすい形が良いとか、色がそろっているとか、農業だけで考えるとそうなってしまうそうです。

農作物は除染で汚染のベールを剥がし、風評被害のベールを剥がしていっても、それがゴールではありません。経済効率としては悪いのかもしれませんが、こういった独自のものがどれぐらい残っているのか、また、どういう意味付けが出来るのかを一緒に考えることも出来ると思うのですよ。農業も漁業もみんな困っているわけですから、そういう方々と話し合う一つのベースが出来るかもしれません。

内田　私は、「いわき地域学會」に属しています。この学会は歴史、文化、地理学に加え、伝統的な植物・野菜などもテーマにしています。この間、この学会で、伝統的な野菜や漬物など、同様のお話を伺いました。いわき市内には、伝統的な野菜を作っている農家はもちろん、それを専門で取り扱っているレストランもあると聞きました。これらの伝統的な食をブランディング化していくことは大切ですね。

また、水産業にしても、いまはトリチウム水という風評にかかわる厳しい議論もあります。その部分だけに限定して議論するのではなくて、おいしい水産業をどのようにブランディング化していくのかを地元の旅館業や観光業、更にはレストラン、給食などとも一緒になって地元の食材を使った「いわきのメニュー」を作っていく。それを温泉に来た人においしい日本酒「又兵衛」と一緒に召し上がってもらう。そんなことが運動として盛り上がり、ブランド化していければ、いつの間にか風評も薄まり、消えていくのではないかと考えています。

石井　つい最近も地元のスーパー「マルト」さんのおにぎりが、全国スーパーマーケット協会主催の「お弁当・お惣菜大賞2021」で最優秀賞を受賞しました。ですから、素材ももちろんマルトさんのように商品化を頑張れば評価を受けられる、それを共通認識としてバージョンを高めていければ、いろいろなことが起こるのではないかと思います。

内田　そうですね。石井さんが所長を務められている「健康社会戦略研究所」でも、健康を切り口にしたブランディングも出来るのかもしれませんね。

石井　まさにそうなのですよ。私は医師ですから人の命や健康については当然、関心事なのですが、その健康を維持出来る健康社会―英語では「Healthy Society」という言葉もあるのですが、個人の健康と健康社会とが一緒になれば、構成員である個人にもいいことがあるし、社会もまたそれによって評価を受けて価値も高まっていく、そうすると「住みたいマチ」になるわけです。

やはり、人間の中で一番大事なものは健康です。その次に、人間は社会的動物ですから、社会を作ってお互いをうまく高め合っていく、そうすると、健康社会戦略研究所の一つのイメージが出来上がってくるわけです。ですから、内田さんの「地域振興戦略研究所」とは、恐らく対立概念ではなく、むしろ溶け合うことによって、大きなイメージづくりになったり、人と人とのネットワークづくりの重要なパーツになったりするのではないかと思っています。

内田　そうすると、冒頭に申し上げたような地域の魅力づくりや人口流出のテーマなどにもつながっていきますね。

石井　そうですね。風評をどうやって消すか。まず、自分たちで「おいしい」「安心だ」、そして「人にも勧められる」と言えるような姿勢そのものが、これまで固くこじれて閉ざされていた風評の問題が少しずつ雪解けになるための一つのアクションになると思います。

ですから、風評を融かす最善の方法は、地元一人ひとりの気持ち、言葉から始まると思うのですね。やはり、地元の人たちが自慢出来ていないとダメですね。

人間一人ひとりはそんなに強くないし、人間が恐竜と戦っても負けてしまいますけど、人間がなぜ強かったというと、やはりネットワーク、仕事を分担したり、絆を作ったりすることで、ほかの生き物にないような強さを出してきたわけです。まさに、地域振興や健康社会づくりも同じように、例えばブランディングや医療活動など、皆さんそれぞれ出来るところでつながり、そして風評を融かしていく。そうしたネットワークを作っていくことが大事だと考えています。医療も目前の状況が変われば、対応する組織論も柔軟に変えて市民のニーズに応えていく、医療介護の地域連携でも同じだと思います。

いわき市に「トライデック」の仕組みを

石井　テーマが「いわき学」から「人づくり」「マチづくり」の方向に話が進んでいますが、それでは内田さんのご専門でもある「人づくり」。それから「マチづくり」と「地域づくり」、そして「ほかの地域との連携」についてお伺いします。

内田　冒頭で若者の人口流出の話をしましたが、厳しい言い方をすると、もしかしたら若者にとってのいわき市は「残りたいと思えない雰囲気」があるのかもしれません。いわき市が高校生に対して行った将来の市内への定住意向の聞き取りによると、市内の高校生の4割弱が「将来的に本市での生活を希望していない」との結果が出ている。そんな厳しい結果もあるのですが、そのことを我々も真摯に受け止め、将来を作っていくために人口減少をどう抑えていくかを考えていくことが大切だと思います。

その中でいま、一つの動きとしてチャンスがあります。復興庁が浜通りに国際教育研究拠点を造ろうとしています。いままでは、「復興はマイナスからゼロに近付ける」、「道路や防潮堤などを造る」ということが中心だったと思うのですが、今度は世界一の研究をやっていくのだと。再生可能エネルギー、医療機器、農業のシステム化、廃炉などの分野で、世界一の研究を生み出していこうとするものです。そういうところと、例えば、いわき市の福島高専や本学など、県内の高等教育機関が深く連携して、相乗効果で若者や地域産業界を引き付けていくことが考えられます。

米国のハンフォードは、その国際教育研究拠点のモデルになっておりますが、放射能汚染地区から米国有数の繁栄都市へとなりました。そこには「トライデック」という仕組みがありました。いろいろな自治体や企業や研究所など、様々な利害が対立するところをワンボイスにまとめて政策を練り上げていくことをしたのが「トライデック」です。それを参考に、本学がいま音頭をとって進めていますが、それは一つの大きなチャンスだと思っています。

世界最先端のものを作って、「いわきは素晴らしい」と評価されるきっかけになればと考えます。冒頭でお話しした「いわき学」ともつながってくるのですが、いろいろな魅力を子供のころから大人と一緒に学び、それに加えて働く場としても、国際教育研究拠点と一緒になって、多くのイノベーションが生まれて新しい産業が作り出されていく。そうした流れを作っていければ、人づくり、仕事づくり、地域づくりに発展していけると思っています。

石井　本学にハンフォードから数人に来て頂いて、太平洋を挟んでネットも利用した会議に私も参加しましたが、非常に印象的だったのはハンフォードの考え方です。

学問というと哲学とか神学といったあくまで抽象的なものから実学までありますね。医学も理想だけを追求するだけではない実学です。ハンフォードでの考え方は、職を作り出すためにはどうするか、その実践から学んでいます。例えば除染について、それだけ見たらネガティブに見えるものも、「ある時間、学んで、この資格を取れば、ある種の専門職になる」、そして、そこに定着すると高い評価が得られ、住環境も、自分のイメージよりもっと上のものが手に入る、そういうことを目の当たりにすると人口は増えていくのですね。

例えば福島原発事故後の様々な処理の問題も含めて、まだまだ必要なことはあるし、やらなくてはいけない作業があるわけですが、それを全部ネガティブに捉えるのではなく、まず事態を安定させると、安定を維持するだけでも、最先端の原子物理学なり安全の思想なり、組み合わせた総合的なアプローチが必要です。更にはそれを実践するに当たっては、もちろん健康を維持しなくてはいけません。どうやって健康を維持しながら一つの作業手順を作っていくかということを学問的な検討の対象にして、出来上がったコンテンツを今度は教育にそのまま使って、集まってくれた若者たちにそれを伝え雇用を創出していく、そういう大きな循環が出来ることによって、大変な場所だったハンフォードでは、人の住む、しかも全米の中で人気の高いゾーンにだんだんとなりつつあるわけですね。これは、やはりアメリカのプラグマティズムのポテンシャル、すごい力を持っているなと思ったのですよ。

我々だけでは出来ないけれど、我々がコミットして出来ることはたくさんあります。学問的にももっと必要なものがあれば、例えば被ばく医療をもう少し専門的に学びたいといえば、本学は長崎大学と提携関係がありますし、私も以前から長崎大学客員教授もしていますから、ご相談出来ます。そういうことを持ちながら、ここにある特殊な仕事を安全に安定してやれればある種の人生設計が描けるみたいなことは、決して悪いことではないと思うのですよ。

内田　いいことだと思いますね。いまの石井さんのお話に触発されてデータを1つ紹介しますと、2010年には、ハンフォードはアメリカで1番の雇用率の向上が見られたのです。また、2013年には、全米で6位の人口増加がハンフォードで見られました。そんな実績もあります。

例えば資格とか専門職をパッケージで学んでも、それがどう具体化されるのかというのがないと、生活や、その後のステップアップをイメージ出来ないところもあると思います。ハンフォードを参考にしながら、いま仰って頂いたパッケージで何かの資格とつなげて、その資格を取れると安定した暮らしがあって収入がアップし、住む環境も良くなるといったことも、浜通りの各市町村連携してやっていければ、人口増加や、魅力あるマチづくりのモデル都市になると思いますね。

健康社会という観点と、地域振興という観点でそれぞれ戦略を練って、多分、私たちだけでは限界があると思いますので、私たちは研究所で様々な研究の知見を生かして方向性を示しながら、石井さんは長崎大学の客員教授もやっておられますので、その知見や、医者としての知見なども生かして頂きながら、いろいろな方を巻き込んで盛り上げていければいいですね。

石井　息の長いことになると思いますが、ハンフォードをモデルにして一歩を踏み出しておくことは、いまの時期に重要かと思いますね。

そういうことを見据えながら、やはり、いわき市民の多くは防災、防災思想、これからの見通しについて、ほかの地域以上に大きな関心があると思うのです。しかも、実はこの災害はもう終わっているわけではなく、そのレベル、頻度がどうも最近、世界中で上がっているのではないかという分析もあります。いわゆる地球温暖化という単純な思考を、エクストリームウェザーと言って気象変動、気象の極端化という概念にむしろ置き換えようという動きもあるのですよ。私は世界医師会で副議長もやっていましたが、気象ですら、いままで我々が想像出来なかったようなことが次々起きていると、こうした問題は医師会の共通の関心事の一つです。去年の秋は台風が一つも来なかったのですが、前の年は温暖化した海流、潮の温度が上がってそこから成長した台風が上陸直近まで発達して直撃してくるということが、千葉県でありましたし、その中でいわきも台風19号で甚大な被害に遭いました。本学も停電、断水にもなるなど大変でした。

もはや、想定外という言葉は死語なんです。私は自分で「災害オタク」と言っているのですが、我々、災害の専門につながる人間から見ると、災害はもともと、一度限りの想定を超えたものだと考えるのです。どうするかはその場でその都度、正解を模索するしかない。つまり、図上や実践で決められたことだけやっているような防災訓練は、もはや何の意味も成さないと言われているのですよ。そのためには「まず隗より始めよ」なので、例えばいわき市で、本当の災害対応の訓練を出来ればやりたいなと思うのです。残念ながらいまはコロナウイルスの事象があるので、あまり強く言えない状況なのですが、これは世界の関心事なのですよ。

実際に災害に遭った我々が、またウイルスのアタックを受けて、そこをどうやってクリアしようとしているか。震災10年の節目に本学でシンポジウムを行いまして、それを1つの本にして、地元からの発信にしたいと、いま、最後の詰めの作業中です。そういうものもベースにしながら、ここで起きたことに蓋をしたり、ただ単に悲しむ材料としたりするだけではなくて、我々はそこから何を学び、どういうふうに行動し、どう発信出来るかというのが、ちょうど現在なのだと思うのですよ。

危機管理対応のモデル地域を目指す

内田　先日、石井さんとお話しした際に仰って頂いたことなのですが、やはり災害というのは危機管理対応で、コロナウイルスも同じ災害につながっているのではないかと伺って、まさにそうだなと実感しました。

いわき市は、東日本大震災や台風19号などの様々な災害も、原発の影響も受けていますから、危機管理対応をモデル的に行い、発信していくべきだと思うのです。その動きを作っていくべきだと思うのですね。図上訓練で用意された訓練でやるのではなくて、やはり本番さながらのことをやるべきだと思うのです。

先ほど、岡山にいた話をしましたが、岡山も倉敷地方は真備地区という地域で酷い中国地方の豪雨災害、水害があり50人以上の方が亡くなられているのですね。それで、「もう次は絶対に災害があっても死者をゼロにするんだ」ということを掲げて活動しています。「絶対ゼロ」を第一目標に掲げながら、それぞれの地区の公民館や集会所ごとに、頻繁に集まりを開いています。いまはコロナで限界があるとは思いますが、おじいちゃんおばあちゃんと若者が一緒に、まずＬＩＮＥの交換などをするのです。80歳とか90歳近い方にスマートフォンに切り替えてもらって、ＬＩＮＥを登録してもらうのですね。それで常に若者とか、身体が健康な人とつながって、豪雨災害が来たということをシミュレーションして、警報が何段階でどのレベルが出たという段階でＬＩＮＥを一斉に流すとか、反応がなかったら「じゃあ俺が誰々さんと誰々さんのところは責任を持って迎えに行くんだ」みたいな、そういうところまで本番さながらに分担を決めてやっているのです。

高齢者や身体障害者の方々を要支援者というのですが、いまだに福島県全体で4割ぐらいの人しか要支援者の名簿の作成が出来ていません。一昨年の台風19号の時もそれが原因で、要支援者の把握が出来ず、逃げ遅れてお亡くなりになられてしまった高齢の方が不幸にも結構いたのですね。ですから、次は、本当はそうした事態をゼロにしないといけない。災害対策基本法でもその名簿作りと行動計画づくりは義務化されているのですが、なかなか、進んでいないのが現状です。

例えば石井さんがお話しされたような本番さながらの避難訓練をやっていくのだということであれば、災害関連死をゼロにするという目標でつながり、集会所ごとにやっていくことを第一歩とすることが、アイデアとしてあるのではないかと思うのですね。そういう行動につなげていくことを、まずやるべきではないかと思います。

石井　実は、図上訓練でも出来ないことはないのですよ。つまり、ストーリーを作り込まずに集まってもらって、「さあ、こうなりました。あなたはここにいます。どうしますか」という、そこから始まって出席者全体を巻き込み大きなアクションを作っていく。そういう訓練の仕方があるのです。災害医療の中では、私が日本医師会や行政の方々と何回もやっていたのです。実は岡山県医師会の方々も加わって頂いたので、洪水被害のあと、「君とそういうことをやっていて良かった」というお褒めの言葉も頂いたこともあります。やっている時にはあまり褒めてもらえないのですが（笑）、あとで役に立ったと言われたのは非常にうれしい話でした。

こういうことを一歩ずつ動き出せば出来ることは恐らくあるのだと思うのです。もう一つは、私が日本医師会で救急災害担当をしていた時、子供に災害対応、救急対応を教えるべきだということがテーマになりまして、内田さんの古巣である文科省に「義務教育の中に入れて頂けないか」という申し入れをしたことがあります。それはお陰様で実現しましたね。つまり、子供の時からバイスタンダーとして横にいる人を助け合う思想の第一歩を知っていれば、いきなり小さい子供が大人を心臓マッサージしようといっても出来ないですが、やればこうなるんだよということを教えてあげれば、子供がむしろ段々には大人を教えることになるわけです。除細動器の使い方など「こういう時にはこうしろと習ったよ」と。それで家族を救った実例もあるのですね。だから、「訓練」というのは訓練が目標ではなくて、実践につながるようなことをまず考えるのがいいのだと思うのですね。

もう一つは、この激甚化した中で、いわき市も災害先進地なわけですよ。基幹産業であった遠洋漁業が廃れて、常磐炭鉱が閉山になって、それでも持ち堪えたのです。大震災と原発事故がありなおかつ我々はこのマチで生き延びているわけですよね。

ですから、このマチはいわゆる打たれ強い、レジリエンスという意味でもともと何かポテンシャルを持っているわけですよ。ここで一緒に考えることは、この地区を救うことになりますし、原発立地のもっとつらい思いをされている方々を助けることにもなるのではないかなと思います。
　例えば先ほどのハンフォードに学びながら浜通りトライデック構想が出来た時に、我々の次の世代が世界に「こういうことが実現しています」という誇りを持って海外にオリジナルコンテンツを持っていくことが可能になると思うのです。そうであれば、一旦ここを離れた人たちも、「ではちょっと参加してみようか」ということも、なきにしもあらずだと思うのです。文学的に言えばここではないどこかにさすらっていっても、結局いま世界は災害に満ちているし、このCOVID－19という新型コロナウイルスのリスクは、世界中、全く平等にあるわけで、どこかにいい隠れ場所というのはありません。それどころか、いままで都市集中の処方箋が何も書けなかったのに、いま初めて世界の人々は気が付いたのです。「大都会ほど危ない場所はない」のですよ。だから、例えば都知事さんが、「皆さん街に鍵かけましょう」「夜は店を閉めましょう」と仰っているのは、私の目から見ると、東京が田舎になってきたと感じます。内田さんは、東京で暮らしていらっしゃったから、分かるでしょう。東京のメリットがなくなっていくでしょう？
内田　ええ。いまのお話を聞いていてハッとしましたね。（笑）
石井　安全の面では、もともとソーシャルディスタンスというのは、田舎ではきちんと取れているわけです。東京が取れないのですから。クラスターの発生も、田舎でもありますけれど、東京ではそれどころではない大変なことが何回も起きるわけです。
内田　日常の中でいつクラスターが起きてもおかしくない。

石井　東京というのがクラスターなんです。ですから、東京という一地方を、ＣＯＶＩＤ‐19の立場から見れば、あれほどおいしいマチはないのです。人間から見れば、あれほど住みにくい場所はない。しかも集住化、寄り集まって住むメリットが、むしろどんどんなくなりデメリットがどんどん増えて、バランスシートはどうなっているのでしょうか？　と。

内田　そうですね。コンピューター会社をはじめ、多くの東京の企業がオンラインのテレワークを主にするんだと舵を切っているところがありますよね。だから、むしろそれを逆手にとって地方に住み始める若者も増えてきていますので、そういう流れの中でいわき市の中にも住環境なども用意しながら魅力的なマチですよと打ち出すことが出来ます。いままで都市部でテレワークをしていたような人の居住環境も用意してあげられれば、いいですよね。

急務の課題は「ネットワークづくり」

石井　つくばから鉄道の新線が秋葉原と直結することによって、東京の人材があそこに随分進出しました。同じように常磐線も、常磐線という見え方は同じでも、そういう分散の中の候補に手を挙げれば、その走るものをどういうものにしようかとか、いきなり新幹線というのは大変なのでしょうけれど、例えばリニア新幹線は静岡県を通れないようですから、では、こちらにどうぞと。それを仙台までつないでしまって、東京まで20分とかの乗り物が出来れば──。

内田　いいですね。（笑）

石井　ライバルはいっぱいいると思いますが。（笑）しかし発想として、いままで東京に集中していたものをこちらに持ってくるということは、質的転換がそこに発生するわけです。発生したものをきちんと我々が言語化して、地域の社会と共有化して、その方向性はありだという流れがつくれれば、またいろいろなことがあり得ると思うのですよね。もともとＦＩＴ構想といって首都移転の話が一時、国土交通省で取り上げられた時に、福島と茨城、栃木で１つのユニットを作って、首都の機能のある種の受け皿を作ろうという動きがあり青写真まで書かれたのですよ。ですから、これが初めてではないのです。

茨城はあの時期から見ても、つくばを含めて本当に首都の研究機関としての意思付けは取りました。そうすると、では福島はどうなのか、栃木は？といった時に、いま、茨城と栃木が住みやすい県の一番下の方ブービー賞を争っていますよね。（笑）しかし、それは見え方を変えればポテンシャルはお互いに持っているし、福島も、それこそ福島と言った瞬間に「大変ですね」と言われる状況なわけですから。それをプラスに、だからこそ「これが出来るし、こうすればこうなるのだ」ということを我々が語り、地域の方々と語ることが出来始めれば、局面は変わると思うのですね。

何々を誘致しますとか、雇用団地を造りますとか、そういう話を打ち上げてそれをどうやってやるかというよりも、いまのような、コミュニティーづくりを大切にし、その次に、その中のネットワーク、関係性を高める、また外との関係性を高めること、これが両方順番に可能になってくれば、局面は変わるかもしれないと思うのです。自助・公助・共助の話がありますよね。それは我々医療側も医療保険制度の中で語るのですが、内田さんからもっと広い立場からのコメントをお願いします。

内田　石井さんのお話がだんだん総括的な大きな話になってきたなと、私も聞きながらワクワクしながら感動しているのですけれど、従来型の行政というと、先ほど小泉改革の話がありました。長年人員削減をやってきているわけですね。10《パーセント》や15《パーセント》の削減を計画的にやってきているわけで、そもそも行政のスタッフは減ってきています。そういう中にあって、自然災害やコロナの問題などもあります。やはりいままでのように行政に何もかにもいろいろなことを求めるのは、厳しい時代になってくると思います。そうすると、先ほどお話がありましたコミュニティーの中のイントラネットのつながりですね。中のつながりとか、そこから派生して外のつながりも出てくると思います。

そういうネットワークづくりを自助、まず自分が責任を持って出来ることをやるのですが、出来ない方もいらっしゃると思うのです。先ほどの高齢者の方々も含めてそうだと思うのですが、そういうのをつなげて共助という形で、先ほどのコミュニティーの話のように、つながりをつくっていく。それでどうしても厳しいものを公助としてお願いをする。行政との役割分担や連携という意味で、まずは、地域での人と人とのネットワーク、つまり、コミュニティーづくりが必要になってくるのかなと思っています。

石井　それぞれの立場の方々は、みんなそれぞれ頑張っているわけですよね。しかし、それが一部の頑張りだけに終われば、やはりパワーは少ないわけですよね。それがネットワークづくりだと思うのですよね。

経験の中から一つを話してみます。災害医療で、避難訓練それから避難経路という話を検討したのです。昔は鎮守の森もあったのですが、現在では公民館と首長さんたちが使える小中学校が避難拠点になるのです。では、その体育館に大人のトイレがどのぐらいあるのか。それから、寝泊まりの毛布はどのぐらいあるのか。食料は？　水は？　ということなのですよ。文部科学省にはそういう権限がなくとも、いざとなると大人が数百人詰め掛けるわけですよ。その次に、避難経路を考えたのです。どこが避難経路としていいかと一緒に考えていくと、一番いいのは、子供が毎日安全に通学出来る経路がありますよねと。

内田　通学路ですか？

石井　はい。それが大人にとっても安全なルートだと認証が得られれば、では子供に「避難経路を教えてくれよ」と、「お前毎日（学校に）行っているだろう」という話になると。ですから、子供は常にお荷物で、むりやり引っ張っていくだけではなくて、子供が「あそこの先はこうなって、そこには何があるから」というのを一番毎日見ている、子供が大人をガイド出来ると。これは2つそろえば、実はコミュニティーの避難というのは、まず1つ目のストーリー、プランAというものが完成するのではないかと。それも全国で。義務教育ですから、全国にあるわけですからね。その次にもちろん、プランBも必要で、プランCも必要なのですよ。当然そういうものを加えていくのですが、つまり、こういう解決がどこで出来るのかという話になったのですよ。すると、国だと文科省と厚労省に相談をして、でも内閣府も……という話になって。（笑）そういう命令が出来るのは誰だろうといったら、首相しかいないと。（笑）

では、もう1つ検討出来る可能性があるところはどこだろうといったら、地域の現場なのですよ。ここまでスタディして、我々の勉強は一旦中断したのです。（笑）つまり内田さんは、両方を知っていますから、ここで解決するのにはどうしたらいいのか、多分話を聞いただけで、いくつかのプランが頭に浮かぶのだと思うのです。それは多分、今日の対談では語り切れませんでしたが、現場の検討というのはそれぐらい意義があるのだと私は思います。本日は刺激的で楽しい時間をありがとうございます。

内田　ぜひ、最後にこれだけは言わせてください。これまでの話のやりとりでは、地域の魅力をこれから、どう発見して発信していくのかということが根っこにあると思います。例えば、いわきで言えば、温かい人、自然、食、歴史、文化など、みんなで再発見して、発信していきましょうということだと思います。先ほどの「いわき学」がそれです。

その上で、課題もありのままに受け止めて処方箋を考えていく必要があります。話題になっている若者の人口流失や雇用、住みやすさ、防災などの危機管理。これらの処方箋を市民が一丸となって考え、地域の魅力を高めていく必要があると思います。本日は、とても楽しい時間を頂きました。こちらこそありがとうございました。

あとがき

いわきは恵まれた地だ——。外部の方から、そういわれたことがあります。それは豊かな自然や風土のことではなく、逆境に立ち向かって何度も克服してきた歴史のことだと話してくれました。

戊辰戦争では朝敵扱いを受けて磐城平城は炎上しました。しかし住民は雄々しく立ち上がり、やがて遠洋漁業の拠点として栄えます。その後は炭鉱の町として日本経済のエンジンをまわし、石炭産業が終焉を迎えると、常磐ハワイアンセンターという奇抜なアイディアで、見事に難局を乗り越えてみせました。

小名浜臨海工業地帯に立ち並ぶ工場群を目にすれば、かつてここが小さな漁村だったことは誰も想像できないでしょう。

「そんな逆境にめげないバイタリティは住民の遺伝子に刷り込まれていて、どんな困難に遭遇しても打ち勝っていける」

その方はこう続けました。確かにそうかもしれませんね。江戸時代にいわきにあった三つの藩はいずれも小藩だったのに、今では人口約34万人を擁する中堅都市になっているのですから。

現在、いわき市は様々な問題を抱えています。大震災の後遺症は未だ癒えず、原発事故の風評被害は終わりがないかのようです。また、人口減少はどうやったら止められるのか。

でも、自分たちのＤＮＡを信じれば、必ずやよい方向にもっていける。私はそう確信しています。

さて、いわき市が直面する問題に対し、東日本国際大学・地域振興戦略研究所長として、私なりに考えてきたことを本書で述べました。思いはたったひとつで、誰もが住みたいと思える街にする――です。いわき再生のシナリオとしてまとめました。

最後に、本書の誕生にお力をいただいた、東日本国際大学の緑川浩司理事長、吉村作治総長。そして、本書第四章に登場する方々との対談のセッティング調整を行ってくださった東日本国際大の小山敏治地域振興戦略研究所副所長。また、本書の執筆に当たり政策論議に多くの時間を割いてくださるとともに、文章の細部に及ぶまで詳細にチェックや校正をしていただいた東日本国際大・早稲田キャンパスの千葉義夫氏、エディターの山本明氏に、心からの感謝を申し上げてペンを置きます。

内田 広之

内田広之（うちだ・ひろゆき）

1972年、いわき市平で生まれる。いわき市立草野小学校、草野中学校、磐城高校を卒業後、東北大学に進学。東京大学大学院教育学研究科修了。

1996年、文部省(現・文部科学省)にキャリア官僚として採用される。入省後、幼児教育から大学教育まで幅広い分野で文部科学行政を手がけ、様々な役職を歴任。アメリカ留学やユネスコ派遣（フランス）も経験した。文科省から出向した秋田県教育庁の課長時代には、全国学力・学習状況調査で全国1位を実現。2017年に文科省・教育改革推進室長、2019年に福島大学理事・事務局長職を経て、2020年に文科省を退官。現在は東日本国際大学で地域振興戦略研究所の所長を務めている。

ふるさと「いわき」再生のシナリオ

2021年7月20日　初版第1刷印刷
2021年7月25日　初版第1刷発行

著　者　内田広之
発行者　森下紀夫
発行所　論 創 社
東京都千代田区神田神保町 2-23　北井ビル
tel. 03（3264）5254　fax. 03（3264）5232　web. http://www.ronso.co.jp/
振替口座　00160-1-155266

印刷・製本・組版／精文堂印刷

ISBN978-4-8460-2083-5　